Balade avec Épicure

Au cœur du bonheur authentique

Daniel Klein

Balade avec Épicure

Au cœur du bonheur authentique

*Traduit de l'anglais (États-Unis)
par Anna Souillac*

Michel
LAFON

Titre original : *Travels with Epicurus*
A Journey to a Greek Island in Search of a Fullfilled Life

Première publication en langue originale par Penguin Books,
un département de Penguin Publishing Group,
une division de Penguin Random House LLC
© Daniel Klein, 2012. Tous droits réservés.

© Éditions Michel Lafon, 2015, pour la traduction française.
118, avenue Achille Peretti – CS 70024
92521 Neuilly-sur-Seine Cedex

www.michel-lafon.com

Pour Eliana

« Ce n'est pas le jeune qui est bienheureux, mais le vieux qui a bien vécu : car le jeune, plein de vigueur, erre, l'esprit égaré par le sort ; tandis que le vieux, dans la vieillesse comme dans un port, a ancré ceux des biens qu'il avait auparavant espérés dans l'incertitude, les ayant mis à l'abri par le moyen de la gratitude. »

Épicure

« Ce n'est pas ce que nous avons, mais ce que nous apprécions qui constitue notre abondance. »

Épicure

Prologue

La table chez Dimitri

Il est assis à une table en bois, à l'extrémité de la terrasse de la taverne de Dimitri, dans le village de Kamini, sur l'île grecque d'Hydra. Derrière son oreille, il a coincé un brin de lavande sauvage qu'il a cueilli, en se penchant à grande peine sur le chemin qui l'a conduit jusqu'ici. De temps en temps – en général quand lui et ses compagnons de table se taisent –, il attrape le brin, le renifle trois ou quatre fois puis le niche de nouveau derrière son oreille. Contre le côté droit de la table, est posée une canne avec un pommeau en étain sculpté en forme de caryatide – c'est-à-dire une jeune fille de Karyes, l'ancien village du Péloponnèse dont le temple était dédié à la déesse Artémis. Il emporte cette canne partout où il va, bien qu'il n'en ait pas besoin

9

pour marcher : son pas est lent mais sûr. La canne est un emblème, un symbole de son âge. C'est également une reconnaissance de sa vie d'homme. En effet, en grec ancien, le mot « canne » désigne la baguette qu'utilisaient les soldats pour frapper leurs ennemis. Le fait que sa canne ait la forme d'une jeune fille aux formes sensuelles n'est peut-être pas un hasard non plus. Dans sa jeunesse, il était connu pour être amateur de belles femmes.

Depuis la véranda de la taverne où je suis assis à lire *L'Art du bonheur* ou *Les Enseignements d'Épicure*, je le salue d'un signe de tête. Il me salue à son tour, en hochant légèrement sa tête couverte de cheveux blancs, un hochement sympathique et digne, puis retourne à sa conversation avec ses amis. Il se nomme Tasso et il a soixante-douze ans. Je le connais depuis maintenant fort longtemps.

Bien que Tasso fasse son âge – son visage et son cou sont striés de crevasses profondes –, les gens d'ici le considèrent encore comme un bel homme, un bel homme *âgé*. Ils disent qu'il « porte son âge sur son visage », ce qui est un compliment. Quand le philosophe français Albert Camus écrit, dans *La Chute*, « Hélas ! après un certain âge, tout homme est responsable de son visage », il parle lui aussi d'assumer : le visage d'un homme dit la vérité à son sujet. Le visage qu'un homme se forge est le résultat des choix qu'il a faits dans sa vie et des expériences qui en ont découlé. Les habitants d'Hydra affirment qu'un homme qui a surmonté de nombreuses épreuves aura le visage buriné de l'expérience quand il sera vieux. C'est le visage qu'il a gagné, et sa beauté brute ne fait que refléter celle de la vie pleinement vécue dont il est le fruit.

J'écoute discrètement la conversation de Tasso et de ses compagnons. Comme à leur habitude, ils ont beau être assis les uns à côté des autres, ils parlent fort. Je n'ai donc aucun mal à les entendre. Et mon grec a beau être rudimentaire, je comprends l'idée générale de la discussion, de cette conversation qui a commencé avant mon arrivée et qui se poursuivra jusqu'à ce que le soleil se couche derrière le Péloponnèse, de l'autre côté de la mer. C'est un bavardage joyeux, futile, souvent banal. Ils parlent de la lumière du soleil, étonnamment brumeuse aujourd'hui, du nouveau propriétaire d'un étal de fromages au marché, de leurs enfants et petits-enfants, de l'état des affaires politiques à Athènes. Il arrive que l'un d'entre eux se remémore une histoire du passé – une histoire que ses compagnons ont, en général, déjà entendue. La discussion est ponctuée de silences tranquilles et agréables pendant lesquels leurs regards se perdent à l'horizon, dans le détroit du Péloponnèse.

[p.12]

[1ʳᵉ phrase !]

...u sur cette île grecque a... ...ur une quête personnelle : je suis désormais moi-même un vieil homme – j'ai soixante-treize ans – et je veux découvrir la façon la plus satisfaisante de vivre cette période de ma vie. Ayant séjourné plusieurs fois en Grèce au cours de mon existence, parfois pendant de longues périodes, j'ai pensé pouvoir trouver quelques indices dans la façon de vivre des vieux d'ici. Les personnes âgées d'Hydra m'ont toujours semblé incroyablement heureuses.

En traversant l'Atlantique, j'ai emporté une petite bibliothèque d'ouvrages philosophiques – la plupart de philosophes de l'Antiquité grecque, mais aussi d'existentialistes du XXᵉ siècle, ainsi qu'une sélection de mes auteurs préférés ; je pense pouvoir y glaner des indices. Depuis mes études universitaires, il y a plus de cinquante ans, je me suis toujours intéressé aux théories des grands philosophes sur l'art de vivre une existence enrichissante, qui aurait du sens. Certains de ces penseurs avaient des idées fascinantes sur comment aborder son grand âge de façon épanouissante, bien que le sujet ne m'ait pas particulièrement intéressé à l'époque – j'étais encore plein d'ambition juvénile (plein d'énergie, et...

plein de cheveux). La perspective de relire les philosophes de la Grèce antique, sur les lieux rocheux et ensoleillés qui avaient vu naître leurs idées, m'a donc enchanté.

Cette aventure personnelle n'est due ni à une révélation le jour de mon anniversaire, ni au traumatisme d'un coup d'œil à mon reflet dans le miroir. Non, elle a été suscitée par un événement bien plus trivial : un rendez-vous chez le dentiste.

Après m'avoir longuement inspecté la bouche, le docteur Nacht m'a annoncé très solennellement qu'une atrophie de ma mâchoire, au demeurant tout à fait normale à mon âge, allait devoir l'obliger à m'arracher les dents du bas et à les remplacer par des implants. La seule autre possibilité, a-t-il affirmé, serait de porter un dentier. Mais celui-ci ne pouvant s'accrocher à aucune dent fixe, je serais dès lors condamné à un régime sans steak ni côte de porc et à des incidents, aussi fréquents qu'embarrassants, où mes fausses dents se décrocheraient et sortiraient de ma bouche collées, par exemple, à un morceau de caramel. Pire encore, j'aurais alors ce sourire édenté et reconnaissable entre tous : le sourire du vieillard. J'ai immédiatement accepté les implants.

De retour chez moi, j'ai étudié l'emploi du temps qu'impliquait une telle intervention : un minimum de sept visites chez le chirurgien-dentiste le plus proche, lequel se trouvait à une bonne heure de route. Ces visites s'étaleraient sur une durée de presque un an. Une rapide recherche sur Internet m'a confirmé que je devais m'attendre à quelques jours de douleur après chaque visite. Sans parler du bonus de souffrance de plusieurs semaines, après l'opéra-tion, durant lesquelles je ne pourrais me nourrir que de petits pots pour bébés. Et, bien évidem-ment, le tout allait me coûter plusieurs milliers de dollars. Rappelez-moi pour quoi ?

Pour des côtes de porc ? Éviter d'être humilié par mon dentier ? Un sourire plus jeune ?

J'ai alors réalisé que la seule perspective de porter un dentier ou d'afficher un sourire de vieillard m'avait poussé à opter aussitôt pour les implants. Mais cette idée n'avait désormais plus aucun sens pour moi. Elle ne reflétait en aucun cas les valeurs qui m'importaient à cette période de ma vie. À soixante-dix ans passés, pouvais-je être vraiment gêné à l'idée que les gens penseraient que j'avais un sourire de vieil-lard ? Et, plus important encore, si mes années avec un cerveau fonctionnel et une mobilité acceptable étaient aussi limitées que la qualité de mes mâchoires, avais-je vraiment envie de consacrer un an à des rendez-vous chez un chirurgien-dentiste ?

La réponse était non. À cet instant j'ai réalisé que, sans en avoir conscience, je m'étais, moi aussi, laissé influencer par cette nouvelle mode qui consiste à vouloir prolonger sa jeunesse jusqu'à empiéter sur les années de ce que l'on appelait auparavant le « grand âge ». Ma participation involontaire à ce mouvement allait bien au-delà des questions esthétiques. Elle concernait aussi ma façon de percevoir et d'accepter l'existence qu'il me restait à vivre. J'avais fait des calculs discutables, j'avais été contaminé par une épidémie de déni, à mon corps défendant, et pris l'habitude d'opter pour ce que j'ai finalement nommé des « implants de jeunesse ».

Cette nouvelle tendance fait rage. Si une personne mentionne naïvement qu'elle ne se fait pas toute jeune, on la réprimande aussitôt : « Tu n'es pas vieille. Tu es toujours dans la fleur de l'âge ! » On l'informe que « soixante-dix ans, c'est le nouveau cinquante ans ». On lui enjoint de ne pas « céder » à la vieillesse.

Ces principes forcent les gens de mon âge à constamment s'imposer de nouveaux objectifs, à foncer tête baissée dans de nouvelles entreprises, à chercher en permanence à s'améliorer. On nous explique que la médecine, avec ses promesses d'une vie plus longue, nous offre une opportunité sans précédent : nous pouvons prolonger notre jeunesse à l'infini. Et si l'on cède à la vieillesse, on est un idiot, voire, pire encore, un lâche.

Je voyais, tout autour de moi, des gens de mon âge s'enraciner dans la carrière qu'ils avaient choisie des décennies plus tôt, travaillant souvent plus dur que jamais. D'autres s'embarquaient dans des expéditions vers des destinations lointaines, un exemplaire des *1 000 lieux qu'il faut avoir vus dans sa vie* fourré dans leur sac à dos. Certains s'inscrivaient à des cours de français, se mettaient au jogging, optaient pour une opération de chirurgie esthétique ou des traitements hormonaux anti-âge. L'une de mes amies, à presque soixante-dix ans, s'est non seulement fait lifter le visage mais aussi fait poser des implants mammaires. Et un homme de mon âge m'a un jour confié que, entre les patchs de testostérone et son Viagra dont l'effet pouvait durer soixante-douze heures, il avait l'impression d'être à nouveau le chaud lapin qu'il était à la fleur de l'âge.

« Jeune à jamais » est le nouvel hymne des gens de ma génération… et, sans y réfléchir, j'ai chanté en chœur avec eux.

Il est évidemment aisé de comprendre l'attrait du credo « Jeune à jamais ». Ma jeunesse a, somme toute, été plutôt satisfaisante. Alors, pourquoi s'arrêter en si bon chemin ? Pourquoi ne pas en profiter un peu plus ? Et encore un peu plus ?

Mais quelque chose me dérange dans cette nouvelle approche de la vieillesse, et il m'a fallu la perspective de ces implants dentaires pour me forcer à chercher de quoi il s'agit. J'ai le sentiment que, si je suivais cette dernière mode, je perdrais quelque chose de bien plus profond : je me priverais d'une étape unique et inestimable de la vie. Or, j'ai de profonds scrupules à passer directement d'une jeunesse à rallonge au « grand grand âge » – cette période, désormais abrégée, de sénilité et d'infirmité extrême qui précède la mort. En empruntant un tel chemin, je crains sincèrement de passer à tout jamais à côté de la possibilité d'être simplement un vieil homme heureux et authentique.

Seulement, je ne suis pas sûr de savoir ce qu'est un vieil homme « authentique », ni comment il est censé vivre. J'ai bien une intuition ou deux, c'est donc par là que je dois commencer. Une chose est certaine : je suis convaincu qu'un vieil homme authentique doit être honnête avec lui-même sur ce qu'il lui reste de temps à vivre avec toute sa conscience et sa raison. Il doit avoir envie d'employer ce temps le mieux possible et de la façon la plus appropriée qui soit. J'ai aussi l'impression qu'il doit prendre conscience que

son âge lui offre des possibilités d'épanouisse-
ment auxquelles il n'avait pas accès jusqu'ici.

Mais à l'exception de ces quelques convic-
tions, je n'ai rien d'autre que des questions.
Et c'est pour y répondre que je suis revenu sur
cette île grecque, ma valise remplie d'ouvrages
philosophiques.

Un des compagnons de Tasso fait signe à
Dimitri de leur apporter une autre bouteille
de retsina et quelques assiettes de mezze – des
olives, des feuilles de vignes et du tzatziki. Ils
réinstallent leurs chaises autour de la table, afin
d'avoir tous accès à la nourriture. Dimitri ne leur
a pas encore donné l'addition, mais je crois qu'il
ne le fait jamais ; les hommes se contentent de
poser quelques pièces sur la table en s'en allant
– le tarif du « vieil homme ». Tasso sort un jeu de
cartes de sa poche et ils entament une partie de
prefa, leur jeu préféré. Cela ne se joue qu'à trois,
chacun passe donc successivement son tour ; et
celui des quatre qui ne joue pas en profite pour
relancer la conversation si nécessaire.

Quant à moi, je retourne à mon livre sur
Épicure.

Chapitre premier

Les oliviers du vieux Grec

É picure a grandi à Samos, une autre île de la mer Égée qui se trouve à deux cent cinquante kilomètres à l'est d'ici, près de l'Anatolie et de l'Asie Mineure. Il est né en 341 avant Jésus-Christ, huit ans seulement après la mort de Platon ; celui-ci ne l'a cependant que peu influencé. La question au centre de la pensée d'Épicure fut de savoir comment vivre la meilleure existence possible, surtout si l'on considère n'en avoir qu'une – Épicure ne croyait pas en une existence après la mort. Cette question semble être la plus fondamentale de la philosophie, la question première. Mais quand nous étudions l'histoire de la philosophie occidentale, nous sommes souvent déçus de constater que, au fil des siècles, cette question a été reléguée au second plan pour laisser la place à d'autres, considérées comme plus essentielles, par exemple : « Comment savons-nous ce qu'est le réel ? » ; et l'interrogation déconcertante de Martin Heidegger, qui avait l'habitude de me faire éclater de rire d'incompréhension : « Pourquoi donc y a-t-il l'étant et non pas plutôt rien ? ». Épicure ne voyait pas les choses ainsi. Il voulait trouver comment vivre au mieux son unique vie. Ce n'est pas une mauvaise question.

Après plusieurs années d'une réflexion approfondie, Épicure affirma que la meilleure des vies est une vie heureuse, pleine de plaisirs. À première vue, cette conclusion semble être d'une simplicité enfantine, le genre de phrase que l'on pourrait lire sur un calendrier regorgeant de citations un peu niaises. Mais pour Épicure, elle n'était qu'un point de départ. En effet, cette conclusion soulève d'autres questions, plus complexes et plus déroutantes sur ce que constitue une vie heureuse… Quels sont les plaisirs véritablement gratifiants et durables ? Lesquels ne sont que fugaces et source de douleur ? Et pourquoi et comment s'empêche-t-on souvent d'atteindre le bonheur ?

Je dois reconnaître avoir eu un pincement au cœur de désillusion le jour où j'ai compris qu'Épicure n'était pas un épicurien, en tout cas pas dans l'acception moderne du terme : un libertin à l'extrême avec un appétit de gourmet. Bien au contraire, on pourrait résumer ainsi sa position : Épicure préférait dîner d'un bol de lentilles bouillies nature plutôt que d'un faisan rôti infusé à la *mastikha* (une réduction de la sève d'un noisetier obtenue laborieusement), un mets délicat que les esclaves préparaient pour les nobles de la Grèce antique. Cette préférence n'était pas le fruit d'un quelconque penchant démocratique, mais plutôt l'expression de la volonté ferme d'Épicure d'entretenir son bien-être général, y compris nutritionnel. Si le plat de faisan titillait les papilles des gourmets, Épicure n'était pas, en ce sens, un sensualiste : il n'était pas à la recherche d'une expérience sensorielle extraordinaire. Non, apportez-lui donc plutôt ces lentilles bouillies ! D'abord, parce qu'il prenait un grand plaisir à consommer des produits qu'il avait lui-même cultivés : manger ces lentilles avait quelque chose de gratifiant. Ensuite, parce qu'il avait une approche des sens qui pourrait être qualifiée de zen : s'il se consacrait entièrement à la dégustation de ses lentilles, il pouvait alors profiter de toutes les subtilités de leur saveur, des saveurs qui rivalisaient avec celles de plats plus sophistiqués. Une autre des vertus de ce plat simple était sa facilité de préparation. Épicure n'avait que faire des tâches ennuyeuses et laborieuses, comme faire goutter la *mastikha* sur un faisan en train de rôtir lentement.

Certains Athéniens considéraient donc Épicure et ses idées comme une menace pour la stabilité de la société. Une philosophie qui faisait du plaisir personnel l'objectif principal de la vie et qui défendait ouvertement l'intérêt individuel pouvait, selon eux, détruire le lien qui unissait la République : l'altruisme. Ils affirmaient que la pensée autocentrée d'Épicure ne pouvait pas engendrer de sentiment de citoyenneté. Mais Épicure et ses disciples se moquaient de ce que pensaient leurs détracteurs. Pour commencer, les épicuriens ne s'intéressaient que peu au fait politique. Ils étaient, en effet, convaincus que pour profiter d'une vie véritablement épanouissante, il fallait se retirer complètement de la sphère publique ; que la société fonctionnerait remarquablement mieux si les gens se contentaient d'appliquer le principe du « Vivre et laisser vivre », et si chacun cherchait seulement son propre bonheur. Cette idée découlait naturellement d'un des principes fondamentaux de la philosophie d'Épicure : « Il est impossible de vivre avec prudence, honnêteté et justice si l'on ne vit pas agréablement[1]. »

---

1. Dans sa *Lettre à Ménécée*. (Toutes les notes sont du traducteur.)

Épicure mettait sa philosophie en pratique. Il a donc fondé l'une des premières communautés de l'Histoire, le Jardin, situé aux limites d'Athènes, où lui et un petit groupe dévoué d'amis vivaient simplement, cultivaient des fruits et des légumes, mangeaient ensemble et passaient leur temps à discuter… principalement, bien entendu, d'épicurisme.

Tous ceux qui souhaitaient se joindre à eux étaient les bienvenus, comme le prouvaient les mots inscrits à l'entrée du Jardin : « Mon hôte, ici tu seras bien logé, ici le bien suprême est le plaisir. Tu trouveras, prêt à te recevoir, le gardien de cette demeure, il est hospitalier, aimable ; il te servira de la polenta, te versera aussi de l'eau largement, puis dira : "Es-tu content de la réception ? Ces jardinets n'irritent pas la faim, ajoutera-t-il, mais l'apaisent."[1] »

On ne peut pas vraiment parler de menu gastronomique, mais le prix était honnête et la compagnie, fascinante.

Étonnamment, et contrairement aux mœurs en vigueur au temps d'Épicure, les femmes étaient les bienvenues au Jardin, où elles étaient traitées à égalité avec les hommes au cours des débats philosophiques. Il arrivait même que des prostituées soient présentes

---

1. Sénèque, *Lettres à Lucilius*, EP. II, 21, 10.

autour de la table : cela ne fit qu'amplifier la rumeur, à Athènes, qu'Épicure et ses disciples n'étaient rien d'autre que des hédonistes dévergondés. Pourtant, ce n'était, de toute évidence, absolument pas le cas : les épicuriens préféraient de loin les plaisirs tranquilles aux plaisirs fous. La seule vérité, c'est que, contrairement aux autres philosophies hellènes de l'époque, l'épicurisme embrassait et appliquait un égalitarisme radical concernant le genre ou la classe sociale.

Bien que la plupart des manuscrits originaux d'Épicure soient aujourd'hui perdus ou détruits (on estime qu'il a écrit plus de trois cents livres, mais il ne nous reste que trois lettres et quelques recueils d'aphorismes), sa philosophie était très répandue de son vivant dans toute la Grèce. Elle a ensuite envahi l'Italie, notamment quand le poète romain Lucrèce a couché sur papier les principes de la philosophie épicurienne dans son *magnum opus*, *De la Nature*. Mais la postérité de la pensée d'Épicure est en grande partie due à sa propre prévoyance et à sa fortune : dans son dernier testament, il a légué à une école le soin de poursuivre ses enseignements.

Le grand âge, zénith de la vie

Épicure était convaincu que le grand âge était le zénith de la vie, son meilleur moment. Dans son recueil *Sentences vaticanes* (intitulé ainsi parce que ce manuscrit a été découvert dans la bibliothèque du Vatican au XIXe siècle), on lui attribue la citation suivante : « Ce n'est pas le jeune qui est bienheureux, mais le vieux qui a bien vécu : car le jeune, plein de vigueur, erre, l'esprit égaré par le sort ; tandis que le vieux, dans la vieillesse comme dans un port, a ancré ceux des biens qu'il avait auparavant espérés dans l'incertitude, les ayant mis à l'abri par le moyen de la gratitude[1]. »

L'idée d'être un vieil homme à l'abri, ancré dans un port, est comme une bouée à laquelle je peux m'accrocher, assis là sous la véranda de Dimitri, à m'interroger sur la meilleure façon de vivre cette période de mon existence. C'est l'idée d'être enfin libéré de « l'esprit égaré » qui me touche. D'après ma compréhension des autres enseignements d'Épicure, il se réfère également aux « quêtes » égarées du jeune homme qui découlent directement de son esprit fourvoyé. Épicure pointe du doigt ce que les bouddhistes zen appellent la vacuité de « l'effort ».

---

1. *Sentences vaticanes*, 17.

Or, dans notre culture, « s'efforcer » est la marque de fabrique de l'homme jeune.

Il en va de même pour ceux qui adhèrent au credo du « jeune à jamais » : on ne cesse de s'imposer de nouvelles ambitions, de nouveaux objectifs à atteindre pendant qu'on en est encore capable. De nombreux « jeunes à jamais » sont motivés par la frustration de ne pas avoir accompli ce à quoi ils rêvaient quand ils étaient plus jeunes. Ils considèrent leurs dernières années comme une ultime chance, mais c'est un miroir aux alouettes.

Ce phénomène m'a frappé récemment, quand j'ai reçu un courrier concernant le cinquantième anniversaire de ma promotion universitaire. Un de mes camarades, un avocat réputé et journaliste pour les pages culture du *Wall Street Journal*, y écrivait : « Tous les jours, je pense à ce que je n'ai pas encore accompli et cela m'angoisse. Que je sois toujours en bonne santé est une bénédiction, mais c'est aussi une des raisons pour lesquelles je ne suis pas si pressé de terminer les romans, les pièces de théâtre et les essais qui mijotent dans mon cerveau… J'espère avoir le temps. C'est ce que nous espérons tous, n'est-ce pas ? »

Mon ancien camarade semble s'être inspiré du « *Morituri Salutamus* » d'Henry Wadsworth Longfellow, poème écrit pour le cinquantième anniversaire de sa promotion universitaire de 1825, à l'université de Bowdoin. Dans ce poème, Longfellow enjoint à ses camarades de rester actifs, *très* actifs.

« Il est trop tard ! Ah, rien n'est jamais trop tard
Tant que le cœur usé n'a pas dit au revoir.
Caton apprit le grec à quatre-vingts ans,
Simonide et Sophocle en avaient tout autant
Quand le premier fut invité à la cour du tyran
Et que le second écrivit son *Œdipe* déchirant.
Quant à Théophraste, c'est presque grabataire,
Qu'il entama enfin l'écriture de ses *Caractères*. »

Le couplet affirmant que « Rien n'est jamais trop tard » est séduisant, cela va sans dire. Et si nous, les septuagénaires, étions en réalité au mieux de notre forme ? Et si nous débordions de créativité ? Épicure nous aurait-il forcés à mettre un couvercle sur tout ça ? Aurait-il renoncé au chef-d'œuvre qu'est *Œdipe roi*, juste pour que Sophocle puisse s'asseoir en paix dans le port ? Ç'aurait sûrement été un gâchis absolu.

Cependant, celui qui s'efforce en permanence ne connaît pas le repos. Derrière chaque objectif que l'on s'est imposé d'atteindre avant de mourir, s'en cache un autre, puis un autre encore. Et, bien évidemment, l'horloge tourne – assez bruyamment à vrai dire. Et nous n'avons plus le temps d'apprécier avec calme et recul les années de notre crépuscule, par de longs après-midi exquis, passés à rester assis avec ses amis, à écouter de la musique ou à méditer sur l'histoire de notre vie. Et nous n'aurons jamais une autre chance de le faire.

Le choix n'est pas si facile.

Comment se libérer de la prison du quotidien

Il me semble que les conseils d'Épicure sur la façon de mener une vie vraiment épanouissante s'appliquent parfaitement à ceux qui veulent vivre leur grand âge de la manière la plus satisfaisante possible. En tête de sa liste des façons dont nous nous interdisons le bonheur, se trouve le fait de nous plier aux contraintes du « monde commercial ». Épicure a beau précéder la naissance de Madison Avenue de plusieurs millénaires, il avait déjà détecté l'étrange capacité du monde commercial à nous faire croire que nous avons besoin de choses qui ne nous sont en réalité pas nécessaires – et, quoique la société de consommation s'essouffle, à nous convaincre que nous avons constamment besoin de *nouvelles* choses. Mais quand nous achetons un produit dernier cri – et probablement inutile –, l'idée fondamentale, chère à Épicure, d'une vie de plaisirs simples disparaît aussitôt. Voici l'un de mes aphorismes d'Épicure préférés : « Rien n'est suffisant pour celui qui considère le suffisant comme peu[1]. »

Du point de vue du philosophe, le véritable bonheur est financièrement accessible, comme un bol de lentilles ou du tzatziki. Quelle vieille personne sereine serait vraiment malheureuse de ne pas pouvoir se régaler de faisan rôti durant des heures ou, puisqu'on en parle, du saumon poché aux truffes que mon épouse et moi avons dégusté juste avant mon départ pour la Grèce ? Contentez-vous de plaisirs simples, nous dit en substance Épicure. Non seulement ils sont plus abordables mais ils demandent en outre moins d'efforts au corps âgé.

Cependant, quand Épicure écrit : « Il faut se libérer de la prison des occupations quotidiennes et des affaires publiques[2] », il ne parle pas seulement de se libérer de l'acquisition continue de choses dont nous n'avons pas besoin. Il nous met en réalité en garde contre le fait de consacrer notre vie au monde des affaires, en commençant

---

1. *Sentences vaticanes*, 68.
2. *Sentences vaticanes*, 58.

par la contrainte évidente d'avoir un patron qui nous dit quoi faire, comment le faire, et ce qui ne va pas dans notre façon de le faire. Et même si on est soi-même le patron, comme c'est le cas de nombre de mes amis « jeunes à jamais », notre liberté sera elle aussi entachée par l'obligation de devoir gérer d'autres personnes, *leur* dire quoi faire, négocier avec elles et les encourager. C'est aussi une forme de prison. Et la liberté – le genre de liberté radicale et existentielle dont parle Épicure – est la condition *sine qua non* d'une vie heureuse.

Renoncer au monde du commerce, c'est-à-dire abandonner son emploi de tous les jours, ne posait sans doute aucun problème quand on vivait dans le Jardin en 380 avant Jésus-Christ (sur ce sujet, je suis contraint de me demander si le financier Idoménée, hôte régulier de la table d'Épicure, ne participait pas à l'achat des produits que les épicuriens ne pouvaient pas cultiver dans leur potager, comme les tonneaux de vin qu'on les disait consommer quotidiennement), mais une telle décision est loin d'être aussi simple à prendre aujourd'hui. De nos jours, Épicure défendrait sans doute un mode de vie modeste, comme celui que préconisait le mouvement hippie – mode de vie que peu d'entre nous étaient prêts à adopter, quand bien même il s'agissait d'atteindre le stade ultime de la liberté.

Dieu sait que j'ai essayé ! À la fin des années 1960, quand la fameuse maxime de Timothy Leary, un de mes anciens professeurs, « Vas-y, mets-toi en phase, et décroche ! », captait parfaitement l'air du temps, j'ai démissionné de mon poste de scénariste pour la télévision à New York et suis venu ici, à Hydra, pour la première fois. J'ai vécu de mes économies pendant un an, passant mon temps dans des tavernes entouré de locaux et d'autres marginaux, à boire de l'ouzo, à courir après les femmes et à contempler l'horizon.

Un matin de cette parenthèse enchantée, je paressais sur le port quand j'ai eu la surprise de tomber nez à nez avec un ancien camarade d'Harvard, débarquant tout juste d'un yacht sur lequel il faisait une croisière pour les vacances. J'étais bronzé comme jamais, je ne m'étais pas coupé les cheveux depuis mon arrivée sur l'île six mois auparavant, et mes vêtements étaient franchement usés. Mon camarade, surpris de me voir là et dans cet état, m'a demandé ce que j'y faisais, nom de Dieu ! « Je prends une retraite anticipée, pendant que je peux vraiment en profiter », lui ai-je répondu. J'essayais de faire de l'esprit mais me sentais plus sur la défensive que je ne l'aurais cru.

Cette année passée sur Hydra fut d'une douceur incomparable, et je ne la regrette en rien ; mais pour être sincère, j'ai fini par m'ennuyer. Je mourais d'envie d'avoir des choses à faire. Je voulais faire partie du monde. Je voulais devenir quelqu'un. Et même si les charmes de la vie épicurienne n'ont jamais vraiment cessé de m'attirer, je suis retourné au monde commercial.

Aujourd'hui, sur la terrasse de Dimitri, c'est à Tasso de passer son tour à la *prefa*. Il se lève, canne à la main, et marche tranquillement jusqu'au bord de la terrasse qui donne sur la mer. Puis il regarde le ferry d'Ermoni apparaître derrière Dokos, une île déserte et rugueuse, en forme de baleine, située entre Hydra et le Péloponnèse. Ce ferry est l'un des derniers navires lents à effectuer la traversée jusqu'ici. Cela fait plusieurs décennies que l'hydrofoil du Pirée est de loin le bateau le plus populaire de la région – une boîte à sardines hermétique qui vous conduit à toute vitesse jusqu'à une destination où, paradoxalement, le temps semble s'être arrêté.

Le ferry qui avance lentement depuis Ermioni me fait penser aux deux trains qui font le tour du Péloponnèse, chacun dans un sens opposé. Ils avancent eux aussi à une vitesse qui ne dépasse guère celle d'un joggeur de cinquante ans. Il arrive que ces trains cahotent si tranquillement qu'on pourrait facilement se pencher par la fenêtre et cueillir des oranges aux arbres qui bordent la voie ferrée. Évidemment, ceci en dit long sur la faible avancée technologique du monde rural en Grèce, mais cela en dit long aussi sur la capacité des Grecs à accorder plus d'importance aux plaisirs du voyage qu'à la destination.

Durant l'un de mes nombreux séjours en Grèce, j'ai pris avec ma femme et ma fille l'un de ces trains qui fait le tour du Péloponnèse. C'était en l'an 2000, et la Grèce, après un premier essai raté pour intégrer la zone euro en 1999, tentait à nouveau sa chance. Ma femme, qui est originaire de Hollande, analysait tout ce que l'on pouvait voir de notre fenêtre d'un œil critique, soulignant les « défaillances » que nous rencontrions sans cesse. « Regarde-les ! » cria-t-elle quand on dépassa un groupe de cinq Grecs qui vidaient tranquillement un chariot d'aubergines, en faisant une chaîne humaine, la plupart d'entre eux avec une cigarette aux lèvres. « Ces gens ne sont pas sérieux au sujet de l'euro ! » Elle avait beau sourire, elle était, j'en suis certain, un peu sérieuse : les Pays-Bas sont, on le sait, le Q.G. mondial du calvinisme. Ma fille et moi l'avons aussitôt surnommée « l'inspecteur euro ».

Un matin, après avoir passé quelques jours magiques dans le village de Diakofto, au nord du Péloponnèse, nous nous sommes rendus à la gare pour prendre le train en direction de Corinthe. Ma maîtrise rudimentaire du grec ayant fait de moi le guide officiel de notre voyage, j'ai donc acheté nos billets, nous ai trouvé des places assises dans le train en partance ; puis j'ai étiré mes jambes et me suis laissé glisser dans une agréable somnolence. Quelques minutes plus tard, ma femme m'a réveillé : nous allions dans le mauvais sens ! Nous étions montés dans le train qui faisait le tour du Péloponnèse dans le sens inverse des aiguilles d'une montre, au lieu de prendre celui qui en faisait le tour dans le sens des aiguilles d'une montre. Mon épouse s'en était rendu compte quand notre train était passé devant un banc sur lequel se trouvaient les trois mêmes vieillards que nous avions vus en venant de la direction opposée, quelques jours auparavant. « C'est comme s'ils n'avaient pas bougé », a-t-elle dit. Ma fille à l'imagination débordante a déclaré que nous devions être à bord d'un train voyageant dans le temps et que nous étions revenus dans le passé. En effet.

De toute évidence, il m'incombait de rectifier le tir. Je suis allé voir le contrôleur, assis à l'avant de notre wagon. Il buvait un café dans une tasse à expresso en céramique ; j'ai appris plus tard que, quand il en voulait un autre, il lui suffisait d'échanger sa tasse vide contre une pleine que lui tendaient par la fenêtre les serveurs des cafés des diverses gares que nous traversions. J'ai salué le contrôleur et il m'a aussitôt invité à m'asseoir en face de lui, me demandant de lui pardonner de ne pas avoir de café à m'offrir. Je lui ai dit que nous nous étions trompé de train. Il a éclaté de rire, et a dit en anglais : « Cela arrive tout le temps. Vous n'aviez qu'une chance sur deux de ne pas vous tromper. »

Mais le sujet a immédiatement été écarté, car le contrôleur avait d'autres questions, bien plus importantes... Étais-je de New York ? Peut-être du Queen's ? Astoria ? Oh, du Massachusetts ? Est-ce que je connaissais la famille Manikis de Boston ? Ils venaient du même village que sa femme. Tout au long de ce génial exposé, j'ai pris soin d'éviter les regards noirs que ma femme me lançait. Quand le contrôleur et moi avons atteint une conclusion satisfaisante à notre étude démographique de la population gréco-américaine – je connaissais vraiment George Genaris de Lenox, dans le Massachusetts, dont le grand-père était originaire de Patras –, l'homme a décroché le combiné, de la taille d'un sabot, de sa radio, a appuyé sur quelques boutons et prononcé quelques mots dans un patois rapide, aussi incompréhensible pour moi que pour un Athénien de souche... j'en étais sûr. Puis, en souriant, il m'a dit de rassembler mes bagages et ma famille, et de me tenir prêt à descendre. Nous nous sommes exécutés.

Quelques minutes plus tard, le train s'est doucement arrêté près d'un verger d'abricotiers.

Nous avons alors vu que celui qui allait en sens inverse s'était arrêté au même endroit. Les passagers de ce train étaient descendus et se prélassaient au milieu des arbres. L'un d'entre eux avait sorti un pichet d'Ariani (une boisson au yaourt) que tous se passaient, certains fumaient des cigarettes, quelques-uns dégustaient les abricots mûrs qu'ils venaient de ramasser, et tout ce petit monde bavardait gentiment. Le conducteur a salué son collègue puis agité la main pour nous faire chaleureusement ses adieux.

Nous avons alors compris ce qui venait de se passer : en apprenant notre détresse, le chauffeur du train allant en sens inverse avait stoppé et ses passagers étaient descendus pour nous attendre, apparemment sans se plaindre – ils semblaient en effet profiter pleinement de cette pause imprévue. Les emplois du temps personnels, si certains en avaient, n'existaient plus. Ce train n'allait de toute évidence pas arriver à l'heure. Bravo, l'efficacité ! Une chose pareille n'arriverait jamais en Hollande.

Ma fille et moi nous sommes tournés vers « l'inspecteur euro » et avons ri si fort que nous fûmes à peine capables de traverser la voie ferrée.

En repensant aujourd'hui à cet épisode, je suis convaincu d'être venu au bon endroit pour réfléchir à la meilleure façon de vivre mon grand âge.

L'épicurisme comme philosophie de vie, de nos jours

Il n'est pas surprenant que l'héritage épicurien d'une vie tranquille ait mieux survécu dans les zones rurales de la Grèce que dans ses villes. Les habitants des îles de la mer Égée aiment raconter cette blague sur un riche Gréco-Américain en vacances ici. Lors d'une promenade, le Gréco-Américain croise un vieux Grec assis sur une pierre, qui sirote un verre d'ouzo en regardant paresseusement le soleil disparaître dans la mer. L'Américain remarque les oliviers qui poussent sur les collines derrière le vieil homme. Personne ne semble s'en occuper, et les olives se contentent de tomber et de rester sur le sol. Il demande à qui appartiennent ces arbres.

– Ils sont à moi, répond le Grec.

– Vous ne récoltez pas les olives ? s'enquiert l'Américain.

– J'en ramasse simplement quelques-unes quand j'en ai envie, dit le vieil homme.

– Mais, vous ne comprenez pas ! Si vous élaguiez vos arbres et cueilliez les olives quand elles sont parfaitement mûres, vous pourriez les vendre ! Les gens sont dingues d'huile d'olive aux États-Unis, et ils l'achètent à un excellent prix !

– Qu'est-ce que je ferais de tout cet argent ? réplique le vieux Grec.

– Comment ? Vous pourriez vous faire construire une grande maison et engager des domestiques pour tout faire à votre place.

– Et qu'est-ce que je ferais, moi, alors ?

– Tout ce dont vous avez envie !

– Vous voulez dire, m'asseoir sur une pierre et siroter de l'ouzo en regardant le soleil se coucher ?

La lenteur de l'impact des idées philosophiques

Est-il naïf de croire qu'un philosophe du IIIᵉ siècle avant Jésus-Christ ait pu inspirer un petit groupe de Grecs d'aujourd'hui à accepter – voire savourer – un arrêt imprévu dans un verger d'abricotiers ? Je ne le crois pas.

Pour commencer, à l'époque d'Épicure, comme dans celles qui l'ont précédée ou lui ont succédé immédiatement, les idées des philosophes, des poètes et des dramaturges étaient loin de se limiter à la table du Jardin, aux marches de l'Acropole ou au théâtre de Dionysos. Elles faisaient partie des conversations quotidiennes de tous les Athéniens, si ordinaires fussent-ils. Aux dires de tous, les Grecs étaient un peuple qui aimait discuter et prenait le temps de le faire. Les formes de communication plus récentes, comme les médias souvent univoques de notre époque, n'ont toujours pas trouvé de meilleure méthode que le dialogue quotidien. Un spectacle au théâtre de Dionysos durait en général une journée entière, le public jouait le rôle du jury et délibérait pour déterminer quel personnage avait le comportement et le point de vue les plus nobles. Les discussions d'après-spectacle sur la justice, l'attitude morale et les faiblesses de l'être humain pouvaient être enflammées.

Le peuple athénien débattait aussi des idées des philosophes. Et, puisque Épicure invitait des hommes et des femmes de toute classe sociale – même des esclaves – à ses débats, ses idées se sont naturellement répandues dans la société. À n'en pas douter, cette expansion est également due à l'amour de la Grèce antique pour les commérages, comme toutes les sociétés fondées sur le langage. Les Athéniens avaient même une déesse de la rumeur. Le Jardin d'Épicure, avec sa table où s'asseyaient aussi des prostituées et des blanchisseuses, était souvent le sujet de rumeurs. Et quels que soient les excès qui peuvent en découler, la rumeur reste un véhicule puissant d'idées intéressantes et novatrices.

La vision d'Épicure sur la meilleure façon de vivre trouvait une résonance chez de nombreux

Athéniens. C'était un nouveau regard sur l'image qu'ils avaient d'eux-mêmes et sur leurs possibilités : « Hum… Si ce type, Épicure, a raison et que le but ultime de la vie est de profiter au mieux de ses plaisirs naturels et non pas, par exemple, de gagner suffisamment d'argent pour pouvoir faire ériger une statue à mon effigie afin de m'immortaliser dans le marbre, alors je devrais peut-être travailler moins que mon voisin, le peintre de vierges sur vase, et passer plus de temps à tout simplement traîner et savourer ma vie. » Bon, soit, je me suis sans doute un peu emporté avec mon histoire de peinture de vase, mais il semblerait que le Tout-Athènes se soit, à un moment ou à un autre, posé cette question.

Bien sûr, cela ne signifie pas que la philosophie d'Épicure a *survécu* dans la culture grecque au fil des millénaires. La sociobiologie, une discipline relativement récente, affirmerait que la bonne humeur de ces Péloponnésiens ravis d'être retenus de façon imprévue dans ce verger d'abricotiers est due à leur ADN – grec, en l'occurrence. Inspirée des théories darwinistes, elle soutient que, en plus du physique, les caractéristiques psychologiques et sociales évoluent par sélection naturelle dans un environnement géographique et un climat donnés. Pour expliquer comment fonctionne la sociobiologie chez les animaux, on cite souvent l'exemple de « l'altruisme » dont font preuve certains membres de certaines espèces, par exemple les fourmis coupe-feuille ou certaines chauves-souris. Le comportement de ces membres-là bénéficie au reste de leur groupe sans pour autant avantager directement ceux qui ont fait ce sacrifice. Mais il est prouvé que, grâce à ce comportement, l'espèce entière est mieux à même de survivre. Par conséquent, les gènes « altruistes » passent de génération en génération. Il arrive que des espèces similaires mais dépourvues de membres altruistes disparaissent, victimes de cette absence.

Ainsi, un sociobiologiste affirmerait probablement que sur les terres escarpées de Grèce, et sous son soleil implacable, certains Grecs de l'Antiquité, ceux qui étaient angoissés pour une raison ou une autre, avaient plus de chance de mourir d'une maladie liée au stress avant d'avoir pu se reproduire que ceux qui avaient une approche plus insouciante de la vie. Par conséquent, les Grecs plus légers et moins sensibles au stress – ainsi que leur ADN – furent sélectionnés naturellement. Je suppose qu'une telle hypothèse est recevable. Quoi qu'il en soit, n'importe quel sociobiologiste dirait que si ces voyageurs péloponnésiens ont accepté avec joie leur halte imprévue dans ce verger d'abricotiers, il s'agit plus du fruit de la génétique que d'une tradition philosophique dont ils auraient hérité au fil de centaines de générations.

Mais les explications sont peut-être toutes les deux vraies : les Grecs ont peut-être, dans leur ADN, une disposition pour l'insouciance et la gratitude pour l'imprévu, *et* Épicure a peut-être su analyser cette disposition naturelle pour l'ériger en courant de pensée. Ses idées sont devenues au fil du temps une philosophie pratique et consciente de la vie qui a perduré à travers les âges, en même temps que les dispositions naturelles des Grecs. Et l'un des avantages d'une philosophie consciente, c'est qu'elle permet aux individus de réfléchir *consciemment* à leurs options : « Je suppose que je pourrais me plaindre au conducteur du train du fait que, à cause de cet arrêt inopiné dans ce verger d'abricotiers, je vais arriver en retard pour dîner… mais ne serais-je pas plus en accord avec mes valeurs fondamentales si je me contentais de profiter au mieux de ce court répit imprévu ? »

Et c'est là le but premier de la philosophie : nous donner des moyens simples de réfléchir au monde et à comment y vivre. Voilà ce que j'essaie de faire, assis ici, mon livre de philosophie épicurienne sur les genoux : je réfléchis aux options qui s'offrent à moi pour les années qu'il me reste à vivre. Je ne peux pas changer d'ADN, mais peut-être Épicure et d'autres philosophes peuvent-ils m'aider dans les choix que je vais devoir faire.

Le choix d'une vie épicurienne

Opter pour la liberté épicurienne quand on est vieux me semble être une idée géniale. Le timing est parfait : une fois passé soixante-cinq ans, nous disposons d'une réelle liberté, sans que l'on soit forcé pour autant de construire une cabane au fond des bois, ni de rejoindre une communauté – bien que, quand on y pense, la vie en communauté serait peut-être la solution idéale pour un vieil homme. Quoi qu'il en soit, la liberté épicurienne semble être un excellent choix, même pour ceux qui sont attirés par l'option « jeunes à jamais ». La majeure partie d'entre nous perçoit une pension de retraite, même si ces ressources sont parfois insuffisantes pour se permettre de dîner dans des restaurants gastronomiques, voire, parfois, de rester dans les maisons où nous vivions tant que nous travaillions. Épicure nous encouragerait à réduire nos dépenses et à goûter à la douceur de cette liberté.

Libéré de « la prison des occupations quotidiennes et des affaires publiques », un vieil homme n'a de comptes à rendre qu'à lui-même. Il n'a plus besoin de se plier à un agenda contraignant, ni de mettre de côté ses désirs pour pouvoir survivre. Il peut, par exemple, rester des heures durant avec ses amis, en humant de temps à autre le parfum d'un brin de lavande sauvage.

Les plaisirs de la compagnie

Sans en être nécessairement conscient, il est possible qu'une bonne partie du plaisir éprouvé par Tasso quand il est assis à une table de la taverne de Dimitri vienne du fait qu'il profite de ses amis *sans attendre quoi que ce soit en retour.* Ses compagnons de table sont un pêcheur à la retraite, un instituteur à la retraite et un serveur à la retraite. Ils sont tous nés et ont tous vécu sur l'île, tandis que Tasso est un ancien juge d'Athènes qui a étudié le droit à Thessalonique et à Londres. Mais tout ça n'a que peu d'influence, voire aucune, sur sa relation avec ses trois amis.

Ne rien attendre de la part de ses amis diffère fondamentalement de l'état d'esprit d'une personne qui serait encore partie prenante du monde professionnel et des relations qui en découlent. Un individu qui appartient au monde du « commerce » est au service d'une cause qui n'a pas grand-chose à voir avec la véritable amitié. Une patronne donne des instructions parce qu'elle a un objectif, et un employé suit ses instructions pour la même raison, l'objectif en question étant de toucher son chèque à la fin du mois. Peu importe le nombre de manuels de management qui conseillent de traiter ses employés et ses collègues comme des personnes : la vérité sous-jacente est que toute situation commerciale est, de façon inhérente, une situation politique. Au travail, nos collègues sont avant tout un moyen de parvenir à nos fins, et nous le sommes nous aussi pour eux. Épicure en avait bien conscience quand il nous mettait en garde contre les dangers du commerce et de la politique.

L'éthique kantienne, quant à elle, nous enjoint tout particulièrement de ne pas considérer un autre être humain comme un moyen, mais comme une fin en soi. Dans son œuvre monumentale, *Fondation de la métaphysique des mœurs*, Emmanuel Kant conclut qu'un principe abstrait et absolu, régissant la morale en général, devrait être le fondement de toute décision morale. Il met en place une sorte de règle d'or, un impératif catégorique suprême : « Agis seulement d'après la maxime grâce à laquelle tu peux vouloir en même temps qu'elle devienne une loi universelle. » Ainsi, Kant était convaincu qu'en suivant cet impératif, aucun homme ne choisirait d'en traiter un autre comme un moyen : en effet, il ne pouvait pas rationnellement vouloir qu'un tel comportement devienne une loi universelle, surtout parce que cela signifierait qu'il serait lui aussi considéré comme un moyen par les autres.

Considérer quelqu'un comme une fin en soi, plutôt que comme un moyen, est un avantage autant pour nous que pour la personne en question. Tasso n'attend rien de son ami le pêcheur, si ce n'est sa compagnie. Il n'attend pas de lui qu'il abrège les conclusions de sa plaidoirie, comme il a si souvent souhaité que certains avocats le fassent, à l'époque où il était juge. Tasso ne ressent pas le besoin de manipuler, d'exploiter ou de forcer son ami le pêcheur à faire quoi que ce soit. Non, Tasso veut simplement que son ami *soit* avec lui. Il veut partager avec lui une conversation, un rire, une partie de *prefa* et, sans doute le plus important, partager un silence quand ils regardent tous les deux l'horizon sur la mer. Épicure considérait d'ailleurs le silence comme la caractéristique principale de la véritable amitié.

Pour un vieil homme qui a mis le monde des « occupations quotidiennes et des affaires publiques » derrière lui, une telle camaraderie est le plus beau cadeau qui soit. Un cadeau qui n'est rarement, voire jamais, offert aux « jeunes à jamais » qui vivent encore pour leur carrière.

L'amitié a toujours été en tête des plaisirs de la vie recensés par Épicure. Il écrit ainsi : « Entre toutes les choses que la sagesse nous donne pour vivre heureusement, il n'y en a point de si considérable que celle d'un véritable ami[1]. »

Les membres nantis de la *Société épicurienne de Nouvelle-Angleterre*, un club privé où l'on sert principalement du caviar et des huîtres à des invités en smoking, seront sans doute choqués d'apprendre qu'Épicure était convaincu que choisir avec qui l'on dîne a bien plus d'importance que de choisir ce que l'on va manger. « Avant de regarder à ce que vous devez boire et manger, regardez à ceux avec qui vous devez boire et manger. Car dévorer les viandes sans partager avec un ami, c'est vivre comme les lions et les loups[2]. »

Quand il évoque les joies de l'amitié, Épicure se réfère à un éventail d'interactions humaines allant des discussions intimes et souvent philosophiques avec ses amis les plus chers – de

---

1. *Maximes capitales*, XXVII.
2. *Lettres à Lucilius*, XIX.

ceux dont il appréciait la compagnie autour de la grande table du Jardin – aux échanges impromptus avec des personnes, connues ou inconnues, qu'il croisait dans la rue. L'éducation ou le statut social de ceux avec qui il conversait n'avait aucune importance. À vrai dire, ce qui faisait la grandeur d'une véritable amitié était d'être accepté et aimé pour ce qu'on était, et non pas pour ce qu'on avait accompli jusqu'ici dans sa vie. Pour un homme, aimer et être aimé renforçait l'estime qu'il avait de lui-même et anéantissait les sentiments de solitude et d'isolement. Ça le gardait sain d'esprit.

Si cette recette du bonheur a des relents de mièvrerie dignes d'une chanson populaire – dans ma jeunesse, la reprise du hit *Nature Boy* par Nat King Cole se termine sur l'affirmation que « la plus grande leçon que vous apprendrez, c'est simplement d'aimer et d'être aimé en retour » – eh bien, qu'il en soit ainsi ! Mièvre ou non, c'est sans doute vrai. En tout cas, le philosophe de Samos en était convaincu. Et on ne peut pas remettre en question le caractère unique de l'amitié à l'âge où l'on a laissé derrière soi le monde du commerce et de la politique.

Tom Catheart, mon ami de toujours avec qui j'écris très souvent, et moi-même avons toujours adoré lier conversation avec des inconnus, que ce soit dans un train, un avion, une librairie ou encore sur les bancs du parc à côté de chez nous. Tom a un talent tout particulier pour inciter les autres à partager leur intimité, et nous aimons tous deux écouter leurs histoires. Mais au-delà du caractère divertissant de ces histoires, le lien établi avec un autre être humain est bien plus précieux. C'est un réconfort sans égal, celui de la communion avec l'autre.

Maintenant que Tom et moi sommes deux vieillards et que nous avons le physique *ad hoc* – nous sommes tous deux chauves avec une barbe blanche –, nous nous sommes rendu compte qu'il était bien plus facile de créer ces liens impromptus. Cela nous a pris un peu de temps pour en comprendre la raison, et nous n'avons pu nous empêcher de rire en la découvrant : les vieillards semblent inoffensifs. Nous n'avons pas l'air menaçant, pour la simple et bonne raison que nous n'avons pas l'air *capables* de mettre à exécution la moindre menace – enfin, à part celle d'être profondément barbant. Ce fut un moment doux-amer que celui où nous avons compris qu'aucune des femmes avec qui nous avions initié une conversation n'avait pensé, ne serait-ce qu'une seconde, que nous cherchions à les séduire. Et, si navrant que ce soit, elles avaient raison.

Le réconfort de la compassion

À la table de Tasso, l'instituteur à la retraite a demandé à passer son tour pour la prochaine partie. Il a besoin d'aller aux toilettes, c'est la troisième fois depuis une heure. Sa foutue prostate, maugrée-t-il. Ses camarades se moquent de lui. Le pêcheur dit que la prostate de son ami est si grosse qu'elle pourrait servir d'appât pour attraper un requin. L'instituteur claudique jusqu'aux toilettes en ronchonnant, et cette recommandation de Montaigne de toujours bien se plaindre des maladies me revient à l'esprit.

Michel de Montaigne, un essayiste du XVIe siècle, était familier des idées d'Épicure. Il résume ainsi l'idée du plaisir du philosophe grec : « Je conçois qu'il faille éviter les plaisirs qui entraînent de grandes douleurs et convoiter les douleurs qui débouchent sur de grands plaisirs. » Tout comme Épicure, Montaigne était convaincu que l'amitié, et les grandes conversations qui allaient avec, était le plus grand plaisir auquel un homme eût accès. Dans son essai *De la vanité*, le philosophe français écrit : « L'amitié a les bras assez longs pour se tenir et se joindre d'un coin du monde à l'autre. »

Montaigne a beaucoup écrit sur la vieillesse. Dans l'un de ses *Essais*, il suggère que se plaindre à ses amis des infirmités du grand âge est le meilleur remède qui soit : « Si le corps se soulage en se plaignant, qu'il le fasse ; si l'agitation lui plaît, qu'il se tourneboule et tracasse à sa fantaisie ; s'il lui semble que le mal s'évapore (comme les médecins disent que cela aide à la délivrance des femmes enceintes) en criant avec la plus grande violence, ou s'il en amuse son tourment, qu'il crie tout à fait. »

Montaigne insiste donc sur le fait que, si nous ne partageons pas tout ça avec nos amis, nous nous privons d'un des meilleurs remèdes que peut connaître l'homme âgé – et ce au nom d'une bienséance stupide. De nos jours, chez certains groupes de personnes âgées, ce genre de doléances est connu sous le nom de « la complainte de l'organiste[1] », et Dieu sait qu'il « en amuse (leur) tourment », au moins un peu.

Faire face à la mort avec sérénité

Le soleil a entamé sa descente, il semble à la fois grandir en passant derrière l'horizon et décliner au fur et à mesure que ses rayons

---

1. En anglais, « *the organ recital* ».

disparaissent. Ce qu'il en reste jette une lueur rose pâle sur la mer, et les quatre hommes à la table de Tasso cessent leur conversation pour admirer le crépuscule.

Épicure n'avait pas peur de la mort. Une de ses maximes célèbres affirme que « la mort n'est rien pour nous puisque, tant que nous existons nous-mêmes, la mort n'est pas, et que, quand la mort existe, nous ne sommes plus[1] ».

Plus tard, d'autres philosophes, notamment Søren Kierkegaard, le philosophe et théologien danois, critiqueront Épicure, l'accusant d'être simpliste. Après tout, quand « nous sommes », nous sommes toujours conscients du fait que nous ne serons plus dans le futur, et cela fait toute la différence. Selon Kierkegaard, cela suffit à ce qu'un homme, jeune ou vieux, soit envahi de « crainte et tremblement[2] ».

Bien que tous les hommes à la table de Tasso soient, du moins sur le papier, des Grecs chrétiens orthodoxes – une religion qui promet à ses fidèles une vie béate après la mort –, il me semble que, comme la plupart des mortels, ils ne sont pas totalement exempts de cette terrible peur. Je pense néanmoins qu'ils sauraient reconnaître la nature réconfortante des mots

---

1. *Lettre à Ménécée.*
2. Référence au titre de l'essai (publié en 1843) du philosophe danois.

adressés par Épicure sur son lit de mort à son ami Iménée : « C'est à l'heureux et dernier jour de ma vie que je t'écris cette lettre. Mes intestins et ma vessie me causent une souffrance inexprimable. Mais pour compenser toutes ces douleurs, je puise une grande joie dans le souvenir de nos conversations passées. »

« Chaque homme cache en lui un enfant qui veut jouer. »

Friedrich Nietzsche

Chapitre deux

La terrasse désertée

Vue de la mer, Hydra ressemble à un vague mirage. Une brume lumineuse entoure l'île et quand on se trouve sur l'hydrofoil, celui-ci éclabousse tout autour de lui, ce qui donne une impression encore plus filtrée du paysage, l'adoucit, comme s'il flottait. À l'inverse, ici, sur l'île, même quand le ciel est nuageux comme aujourd'hui, on distingue tous les détails au loin. L'ombre d'un rocher à un kilomètre de la rive péloponnésienne semble aussi nette que le citronnier planté juste devant ma fenêtre. Et comme Hydra est une colline escarpée en forme de fer à cheval, parsemée de maisons, qui surplombe son port principal, chaque habitant est le témoin involontaire de scènes d'intimité qui ont lieu dans des arrière-cours ou sur des terrasses isolées.

À cet instant même, je regarde une femme d'une cinquantaine d'années portant une blouse à fleurs étendre son linge tout en ayant une discussion animée avec un chat brun et blanc perché sur le mur de son jardin ; deux terrasses plus haut, on peut voir deux écoliers assis en tailleur sous l'auvent de leur jardin : l'un sort un illustré de son sac à dos, l'autre mord dans un morceau de pain badigeonné de miel ; et au sommet de la colline, je distingue nettement le prêtre orthodoxe, grand et fort, avec sa robe noire et sa haute coiffe, assis stoïquement sur le banc de son jardin tandis que sa minuscule femme, debout juste derrière lui, le sermonne, probablement parce qu'il a oublié d'acheter quelque chose lors de sa descente matinale au port.

C'est le secret de la lumière d'Hydra : elle transforme le quotidien en un théâtre intime.

Toutes les fenêtres de la maison en chaux du XIXe siècle dans laquelle je séjourne sont flanquées de deux barres en fer qui forment une croix. « C'est pour éviter que les Turcs approchent », affirment certains locaux. « Pour éviter les pirates albanais », selon d'autres. De toute évidence, cela fonctionne parfaitement : aucun Turc, aucun Albanais n'a réussi à se hisser jusque dans ma chambre. Étonnamment, les barres n'obstruent pas la vue de la fenêtre qui se trouve au-dessus de mon bureau. Au contraire, elles semblent encadrer quatre petites images séparées : une colline parsemée de maisons dans un cadre, un verger d'amandier dans un autre, le port, la mer.

J'habite tout en haut de la colline. À travers le cadre du port, je regarde la terrasse de la taverne de Dimitri. Elle est vide. Les nuages annoncent de la pluie, j'imagine que Tasso et ses camarades sont à l'intérieur, ou qu'ils ont décidé de sécher la réunion d'aujourd'hui.

Mais, pluie ou non, j'ai faim. Et puisque les figues qui gisent dans le panier en osier de ma chambre sont à ce stade étrange entre fraîcheur et sécheresse, je me mets en route pour la taverne de Dimitri. En chemin, je passe devant la maison de Tasso. Je l'aperçois, assis seul sur son balcon du troisième étage. Il semble plongé dans ses pensées.

Chez Dimitri, il n'y a que deux personnes présentes : Dimitri, assis dans la cuisine à écouter les nouvelles de la BBC Monde et, au fond de la salle à manger, près de la fenêtre, son père de quatre-vingts ans, Ianos, qui lit le journal d'Athènes de la veille en jouant avec son komboloï, sorte de chapelet de trente-trois billes d'ambre que les Anglophones nomment familièrement « des billes d'inquiétude grecques ».

Comme nombre d'autres hommes sur l'île, Dimitri a été marin dans sa jeunesse. Il était en charge de la radio du bateau, un poste qui lui a permis de maîtriser l'anglais et quelques autres langues, occidentales et orientales. À trente-cinq ans, il est revenu s'installer définitivement à Hydra, a ouvert une taverne, et épousé une femme d'ici qu'il avait engagée comme cuisinière. Dimitri a complètement intégré l'idée que la vie est faite de différentes époques qui se succèdent naturellement.

J'ai constaté que bien moins d'hommes aujourd'hui utilisent un komboloï que lors de mon premier séjour, dans les années 1960, et je demande à Dimitri si cette tradition disparaît. Avant de me répondre, il me fait signe de choisir mon plat sur un des plateaux en métal exposés devant la cuisine. Comme d'habitude, j'ai le choix entre une moussaka, des courgettes farcies, du pastitsio (un plat grec de pâtes au fromage, avec de la viande hachée, qui tient son nom du mot *pasticcio* signifiant « pêle-mêle » en italien, un terme qui décrit à merveille la plupart des plats de la cuisine grecque), et la spécialité de Dimitri, un agneau rôti avec des pommes de terres. Je choisis l'agneau, malgré la petite colonie de mouches qui s'ébat dans son jus. Dimitri éteint la radio, me sert une généreuse assiette d'agneau, à chacun de nous un verre de retsina et s'assied en face de moi.

« Déjà, l'expression "billes d'inquiétude" est une traduction erronée, commence-t-il. Ça en dit plus sur la façon de penser des Anglais que sur les Grecs. Le komboloï n'a rien à voir avec l'inquiétude. »

Chaque fois que Dimitri et moi avons ces discussions, il prend un air d'instituteur et son ton trahit sa lassitude. Il me semble néanmoins évident qu'il adore endosser ce rôle de guide culturel. C'est un homme incroyablement intelligent et cosmopolite.

« Le komboloï concerne le temps, comment l'étirer, comment le faire durer », poursuit-il.

Étirer le temps ? Le faire durer ? Comme de nombreux Grecs que je connais, Dimitri tient naturellement des propos métaphysiques, bien que très probablement ce ne soit pas le nom qu'il leur donne. Dimitri exprime simplement sa vision du monde, et cette vision envisage le temps comme une chose malléable, multidimensionnelle, qui ne se fonde pas seulement sur la rotation des planètes et les horloges mais aussi sur la façon dont nous l'appréhendons. Ainsi, d'après lui, le temps peut changer de rythme selon la façon dont il est vécu par une personne, voire selon la façon dont une personne *choisit* de le vivre.

Dans la philosophie moderne, l'idée que le temps n'est pas seulement quelque chose de linéaire, de quantifiable et d'objectif fut considérée comme un concept radical quand elle fut avancée par les existentialistes et phénoménologues du XXe siècle. Ces derniers avaient décidé de valider une perception du temps subjective. En réaction à la suprématie d'une vision scientifique du monde, ces philosophes arguaient que la façon dont on *ressentait* le temps était, en fin de compte, plus appropriée à la philosophie humaine. En réalité, ils érigeaient le sens inné de la nature du temps, qu'ont des personnes comme Dimitri, en paradigme philosophique.

Des phénoménologues comme Edmund Husserl ont introduit l'idée du « temps vécu », par opposition au « temps cosmique » – c'est-à-dire un temps objectif et scientifique. Selon eux, le temps vécu est une donnée fondamentale puisque nous sommes des êtres « limités dans le temps », conscients du caractère temporaire de nos vies. Chacun d'entre nous mesure le temps à sa façon. Des concepts tels que « maintenant », « pas encore » ou « attendre une éternité » ne signifient pas la même chose d'un individu à l'autre et, aussi, d'un moment à un autre. Si j'affirme que « les années passent vraiment plus vite au fur et à mesure que je vieillis », il ne servira à rien de me répondre : « Mais tu sais bien que ces années passent à la même vitesse que d'habitude. » Je sais parfaitement à quelle vitesse ces années ont *réellement* passé.

C'est assez fascinant de voir l'aisance avec laquelle Dimitri distingue le temps vécu du temps cosmique. En grec ancien, les deux concepts méritaient deux mots différents... Le mot *chronos* souligne l'étendue du temps, sa durée, qui voyage à un rythme régulier entre le futur, le présent et le passé. C'est de ce temps qu'il s'agit quand on dit, par exemple : « Je te retrouverai au port à midi pile. » Le mot *kairos*, lui, souligne la qualité du temps plutôt que sa quantité : il s'agit plus spécifiquement du temps *opportun*, par exemple « le moment idéal pour faire le bilan de ma vie ». Le mot *kairos* décrit l'importance particulière que peut revêtir le temps pour un individu : il s'agit d'un temps qui a une signification personnelle par opposition à celui dont la dimension est universelle.

Dans son long essai provocateur, *Temps*, un autre livre de poche que j'avais glissé dans ma valise, Eva Hoffman illustre comment l'expérience du temps varie d'une culture à l'autre, et d'une époque à l'autre dans une culture donnée. Hoffman évoque sa perception du temps à la fin du XXᵉ siècle en citant une poétesse roumaine[1] : « Pendant plus de trente ans, j'ai vécu dans le monde opaque du communisme, où le temps n'avait aucune valeur. Il ne nous restait que nos

---

1. Carmen Firan.

conversations. Ces dernières, parfois exquises, consistaient en un bavardage sans fin autour de cendriers remplis à ras bord, de bouteilles d'alcool bon marché, de discussions qui duraient des nuits entières et se terminaient en matins de gueules de bois. Pour nous, le temps était suspendu. Nous n'étions attendus nulle part. »

La vie à Hydra suit un rythme *andante*, quelle que soit la situation politique à Athènes. Ici, il n'y a ni route ni voiture. Par conséquent, les deux seuls moyens de transports – marcher et monter un âne – donnent le tempo de la vie sur l'île, définissent les notions de lenteur et de rapidité. Ici, aucun véhicule motorisé ne passe devant les fenêtres, il n'existe donc pas de représentations fragmentées de visages et d'objets qui resteraient éternellement inachevés, pas de mosaïque à laquelle il manquerait pour toujours un morceau essentiel.

Puisque l'île est faite d'une chaîne montagneuse et d'une côte rocailleuse, les chemins pavés montent et descendent, forçant ceux qui les empruntent à marcher plutôt lentement, non seulement pour éviter de trébucher mais aussi pour conserver leur énergie. Et puisque ces chemins contournent les rochers et les maisons, ce que je vois en me promenant se divise en scènes intelligibles et distinctes. Après quelques jours passés ici, mon horloge interne adopte ce rythme, et avec lui une appréciation ralentie d'à peu près tout ce qui m'entoure : ce que j'entends, ce que je vois, la sensation des mouvements de mon corps.

Les vieux se déplacent lentement. C'est à l'intérieur de notre corps que le terrain est escarpé : des os fragiles, des muscles hésitants, des cœurs affaiblis. Notre lenteur étant la conséquence de ces défaillances, elle est souvent considérée elle aussi comme une défaillance en tant que telle – comme une preuve au ralenti de notre état de faiblesse.

Mais que nous, les vieux, soyons forcés de nous mouvoir plus lentement – tout comme les habitants d'Hydra, pour d'autres raisons – est-il en soi une mauvaise chose ? Le fait de me trouver dans un endroit où mon pas de vieil homme trouve un écho dans tout ce qui m'entoure m'a fait comprendre que je luttais constamment contre la tranquillité de mon rythme. Je refusais de céder à la lenteur. Un autre exemple de mon application inconsciente de la « philosophie » du « jeune à jamais ». Cependant, il me semble aujourd'hui assez évident que la lenteur a des vertus extraordinaires.

Il y a une grâce à se déplacer lentement, qui me correspond assez bien. Je me sens léger quand j'avance au ralenti. Cela a même quelque chose d'esthétique, comme un flottement qui ne serait pas sans rappeler un enchaînement de tai-chi, la rigueur stricte de cette discipline en moins. Il m'arrive quelquefois de me redresser tout doucement dans mon fauteuil, de prendre le temps de trouver mon équilibre, puis de me lever en faisant très attention et d'avancer prudemment jusqu'à la fenêtre. J'ai alors l'impression de danser la valse, naturelle et gracieuse, du vieil homme. Le mouvement est en accord avec le rythme. Oui, je cède aux limites de la vieillesse, mais je ne le vis absolument pas comme une défaite. À vrai dire, dans ces moments-là, je me sens plus digne que jamais.

Épicure nous enjoint de profiter au maximum de chaque instant de la vie, et profiter au maximum de ces instants prend du temps. Bien sûr, l'état capricieux de mes dents est une des raisons pour lesquelles je mastique lentement l'agneau de Dimitri. Mais cette mastication lente ne fait qu'accroître le plaisir de ma dégustation, comme si la lenteur constituait un ingrédient à part entière.

Dans son essai sur le temps, Hoffman oppose la lenteur de son « temps vécu » à sa première expérience du temps américain quand elle a immigré aux États-Unis : « Ce n'est pas seulement que le temps passe plus vite en Amérique – c'est qu'il vous pousse à avancer avec plus de pression. » Elle établit un lien entre le temps américain et l'atmosphère angoissante qui règne dans ce pays : « Tout le monde souffre du stress de ne pas en faire suffisamment, ou de la possibilité d'en faire plus, ou du moins de celui de se sentir en paix ou coupable à ce sujet. »

C'est ce temps qui vous presse d'avancer que les « jeunes à jamais » considèrent souvent comme le « temps vécu », le rythme, de la dernière époque de leur vie. En effet, vu sous cet angle, le temps vécu semble nous pousser en avant avec urgence, une urgence qui vient de la conscience de ce que le temps nous est compté. C'est comme si nous vivions une crise de *kairos*.

L'ennui et le grand âge

Les « jeunes à jamais » ont une raison évidente d'opter pour cette vision pressée du temps : c'est leur stratégie première pour lutter contre le persécuteur chronique du temps, l'ennui. Avec la maladie et la mort, l'ennui est ce que les personnes âgées craignent le plus.

Rien ne semble potentiellement plus ennuyeux que d'être un vieil homme sans objectif ni perspective d'aventures excitantes, un vieil homme sans la ferveur d'une libido affamée, un vieil homme dont l'énergie diminue peu à peu, à qui la simple idée d'aller camper en forêt apparaît plus comme un supplice que comme une occasion de se divertir. Il faut ajouter à cela le fait que, inévitablement – et malgré les réunions sur la terrasse de Dimitri –, un vieil homme se retrouve plus souvent seul qu'il ne l'a jamais été. Beaucoup de temps et rien à faire. Juste la vacuité de l'ennui.

J'ai aussi emporté la *Petite Philosophie de l'ennui*, du philosophe norvégien Lars Svendsen, et cet ouvrage vaut largement chaque centimètre cube qu'il a occupé dans ma valise. C'est un de ces rares livres de philosophie contemporaine qui mêle une grande érudition à une sincère compassion pour l'homme ordinaire et ses angoisses.

Svendsen souligne que l'ennui est un concept relativement nouveau, et l'une des conséquences du mouvement romantique de la fin du XVIIIᵉ siècle et de son emphase sur la prévalence de l'individu. Plutôt que d'accepter béatement leur rôle dans la société et ses traditions, l'idéal romantique encourage tout un chacun à se créer son identité propre et, avec elle, sa propre vision de la vie. L'inconvénient, écrit Svendsen, c'est qu'« une société qui fonctionne bien encourage la capacité de l'homme à donner du sens au monde, là où une société qui fonctionne mal omet de le faire. Dans les sociétés pré-modernes, souvent, une interprétation collective suffit.

Pour nous, les "romantiques", les choses sont plus problématiques ». Donner un sens au monde ne vient pas naturellement, voire pas du tout, à nombre d'entre nous, particulièrement à ceux qui n'ont aucun lien avec un Dieu ou une tradition religieuse.

Avec l'*ennui existentiel*, par opposition à l'*ennui conjoncturel* (par exemple, l'impression qui m'envahit quand je suis assis depuis plus de deux heures dans la salle d'attente de mon urologue), une personne est enfermée dans son incapacité à donner un sens aux choses, dans son renoncement fréquent à essayer de trouver du sens aux choses. C'est une sensation de vide omniprésent que le concept français d'*ennui*[1] traduit parfaitement, un mot français qui a même réussi à se frayer un chemin dans la culture anglophone, notamment grâce à la popularité de la chanson de Cole Porter, *I Get a Kick Out of You*.

« Mais tout me laisse pour ainsi dire de marbre
À l'exception des fois où au milieu des arbres
Je me balade seul avec ma folie
À lutter vainement contre ce vieil ennui... »

---

1. En français dans le texte.

Si rien n'a de sens dans la vie, rien ne peut être intéressant. C'est là que surgit l'ennui. Un homme qui s'ennuie en est réduit à avoir envie d'avoir envie. Il doit meubler le temps mais ne trouve rien qui soit digne d'intérêt. Il s'ennuie à mourir. Ceux d'entre nous qui ont une tendance à la mélancolie sont familiers avec ce sentiment d'ennui existentiel.

Ainsi, selon Svendsen, afin d'occuper son temps, l'homme moderne s'est affairé à se créer des objectifs personnels, à trouver des défis à relever et, plus particulièrement, à toujours rechercher la *nouveauté*. Il est impossible qu'une expérience ou une chose nouvelle soit ennuyeuse, n'est-ce pas ? Eh bien, il semblerait que si, et même assez souvent. Après avoir enfin réussi à devenir le vice-président d'une entreprise, un autre objectif fait son apparition : devenir président, puis président d'une entreprise plus grande, puis d'une autre plus grande encore. C'est sans fin, sans pour autant être satisfaisant, et à un certain point tout cela apparaîtra même vain. La nouveauté semble être passée de mode elle aussi.

Pour celui qui visiterait le douzième lieu du classement des *1 000 Lieux à voir dans sa vie*, admirer un paysage exotique peut avoir un côté rébarbatif, vu qu'il a déjà donné onze fois dans « l'exotique ». Les personnes âgées ont particulièrement conscience du côté dépassé de la nouveauté. On nous entend souvent prononcer des phrases comme « Plus les choses changent, plus elles se ressemblent » ou « À mon âge, plus rien ne me surprend ».

Si un homme ne réussit pas à donner un sens à sa vie ou à une partie de sa vie, il ne lui reste plus que des distractions insignifiantes, même si peu d'entre nous les considèrent comme telles. Il y a pourtant, çà et là, des indices qui prouvent qu'elles le sont. Svendsen écrit : « Les plus hyperactifs d'entre nous sont précisément ceux qui ont le seuil de tolérance à l'ennui le plus faible. Nous n'avons presque aucun moment de pause, nous courons d'une activité à l'autre parce que nous sommes incapable de nous confronter à un moment qui serait "creux". De façon paradoxale, nous trouverons ces périodes d'hyperactivité assez creuses, quand nous y repenserons rétrospectivement. »

Je n'ai aucun mal à m'identifier à cette réalité, surtout à mon grand âge. Il m'arrive de repenser à cette année que j'ai passée à tenter désespérément de conquérir le cœur d'une femme aussi belle qu'imprévisible et inconstante. Je vois désormais assez clairement que je m'étais convaincu que le fait de la séduire donnerait à ma vie le sens dont elle manquait cruellement. À cette époque, je revenais tout juste de mon année sabbatique et j'avais beaucoup de mal à retrouver l'enthousiasme que j'avais un jour eu à écrire des blagues pour la télévision. J'étais perdu – à bout. Bien sûr, courir après cette femme n'a pas donné un sens à ma vie. À vrai dire, à un certain point, après avoir atteint mon but, littéralement essoufflé, j'ai commencé à m'ennuyer. Je suis inévitablement retombé dans le vide qui m'avait fait me jeter dans ses bras.

De nombreux aphorismes ironiques expriment très bien la déception inhérente au besoin éperdu de nouveauté, notamment ce proverbe bédouin : « Fais attention à ce que tu souhaites, car cela risque de t'arriver », et cette phrase d'Oscar Wilde, ma préférée : « Il n'y a que deux tragédies dans la vie : l'une est de ne pas avoir ce que l'on désire, l'autre est de l'obtenir. La dernière est de loin la pire. »

Selon Svendsen, l'homme moderne a voulu se confronter à l'ennui en s'attaquant aux symptômes plutôt qu'à la maladie elle-même, en cherchant des *substituts de sens* – comme ma femme, imprévisible – au lieu de s'asseoir tranquillement et de se contenter, un instant, de réfléchir à ce que pourrait être une vie qui a du sens.

La stratégie des « jeunes à jamais » – combattre l'ennui de la vieillesse par une hyperactivité intense – n'a rien de nouveau : c'est un épilogue de *substituts de sens* qui fonce tout droit vers une fin au goût amer.

Mais qu'est supposé faire un vieil homme s'il ne s'occupe pas ? Végéter ? Dormir toute la journée ? Avoir un ulcère à l'estomac, comme ma mère quand elle a compris qu'elle, *d'entre tous*, était condamnée à devenir une vieille dame ?

Le jeu et le grand âge

Pour de nombreux philosophes, l'oisiveté – qu'elle soit imposée ou volontaire – est l'un des plus grands privilèges de la vieillesse. Elle nous laisse du temps pour une autre activité humaine merveilleuse : jouer. Dans son essai politique populaire, *Éloge de l'oisiveté*, le philosophe britannique du XXe siècle Bertrand Russell nous reproche de ne pas employer notre temps libre à nous amuser, plus que toute autre chose : « On dira que, bien qu'il soit agréable d'avoir un peu de loisirs, s'ils ne devaient travailler que quatre heures par jour, les gens ne sauraient pas comment remplir leurs journées. Si cela est vrai dans le monde actuel, notre civilisation est bien en faute ; à une époque antérieure, ce n'aurait pas été le cas. Autrefois, les gens étaient capables d'une gaieté et d'un esprit ludique qui ont été plus ou moins inhibés par le culte de l'efficacité. L'homme moderne pense que toute activité doit servir à autre chose, qu'aucune activité ne doit être une fin en soi. »

L'esprit vif de l'humoriste contemporain Steven Wright lui fait dire la même chose de façon plus concise : « Les fruits du travail acharné se récoltent plus tard. Les fruits de la paresse se récoltent maintenant. »

C'est le divertissement qui peut nous sauver de l'ennui, nous les vieux, à condition que l'on se souvienne de *comment* se divertir. Russell avait vu juste : le fait de s'amuser pour la simple raison de s'amuser est considéré comme une perte de temps ; par conséquent, nous semblons avoir perdu notre capacité à l'un des plus grands plaisirs de la vie, un plaisir pour lequel nous, les vieux, sommes pourtant particulièrement bien taillés.

J'ai aussi emporté ici l'ouvrage, désormais classique, de l'historien et philosophe néerlandais Johan Huizinga, *Homo Ludens : Essai sur la fonction sociale du jeu*. Hélas, à l'inverse de Svendsen, qui donne vie à l'ennui, Huizinga analyse le jeu… jusqu'à nous faire mourir d'ennui. Après plusieurs douzaines de déconstructions philosophiques des mots « sérieux » et « jeu », nous avons saisi que les deux concepts n'ont que peu en commun. Cependant, certaines idées de

Huizinga me semblent pertinentes concernant une philosophie de la vieillesse.

Le jeu n'a pas une dimension universelle uniquement chez l'être humain ; la plupart des animaux sont eux aussi des joueurs invétérés. Qu'il s'agisse de deux oursons qui s'éclaboussent dans une rivière (quand, à en juger par le regard impatient de leur mère, ils devraient plutôt apprendre à pêcher) ou de mon chien, Snookers, qui court en cercles exponentiels autour de l'arbre de notre jardin… l'amusement, sans autre but que le divertissement, fait clairement partie de l'instinct animal. Il en va de même pour nous, les bipèdes sans ailes, plus particulièrement quand nous en sommes à cette époque de la vie où les notions d'accomplissement et de « faire quelque chose de sa vie » n'ont pas encore entamé notre désir de tout simplement faire les fous.

Le passage du jeu pur au jeu compétitif – les Grecs de l'Antiquité étaient champions en la matière – constitue une de ces premières brèches. Nous sommes passés du jeu gratuit à celui qui nous force à garder un œil sur le tableau des résultats. Et notre dévouement contemporain au sport, en tant qu'élément clé de développement personnel, avec l'aide d'entraîneurs et d'étranges habits en Lycra, a virtuellement balayé tous les plaisirs qu'il restait du jeu. Même lors d'une simple balade, désormais nous enregistrons souvent le temps et la distance parcourue puis nous les comparons à nos statistiques précédentes, comme si nous étions en compétition avec nous-mêmes pour le trophée du meilleur « nous ». Le jeu n'est plus une activité destinée à occuper notre temps libre, mais une autre de ces activités ambitieuses que nous casons comme nous le pouvons dans nos emplois du temps.

L'idée de s'abandonner est fondamentale à la plupart des sens du mot « jeu ». Quand une personne joue la comédie, elle s'abandonne à son rôle. On parle souvent de « jouer un rôle ». Jouer, c'est sauter dans le monde de l'imagination. Platon souligne que le mot « sauter » est intrinsèquement lié à l'idée de jeu. Il est convaincu que notre désir de bondir, de joie par exemple, est fondamental chez tout animal qui possède des pattes ou des jambes, l'être humain y compris. Dans notre imagination, nous laissons libre cours à nos fantasmes : nous imaginons, par exemple, que nous sommes un chevalier de la Table ronde ou que le destin de l'humanité dépend de notre victoire à un jeu de solitaire. Et même quand un jeu a des règles claires – comme le base-ball –, celles-ci sont finalement sans importance : qu'on perde ou qu'on gagne, qu'on suive les règles du jeu à la lettre ou non, cela n'a aucune conséquence sérieuse sur le monde extérieur, et après tout il ne s'agit que d'un jeu.

Bien sûr, nous pouvons aussi nous abandonner à des activités sérieuses, comme le travail, mais la différence fondamentale est que dans ces activités non ludiques, nous ne perdons jamais de vue notre but, notre objectif. Nous pourrions, par exemple, nous abandonner à l'écriture d'une note pour notre entreprise ; mais le fait que nous devions le faire, le faire bien, et avant la fin de la journée, plane constamment au-dessus de nos têtes. Le seul objectif du jeu pur, c'est le jeu lui-même. On ne joue pas *dans le but* de s'amuser, on s'amuse simplement en jouant. Demandez à n'importe quel enfant ou, d'ailleurs, à n'importe quel ourson un peu bavard : il ne joue pas *dans le but* de s'amuser, mais il s'éclate en le faisant.

Les vieux et le jeu

Mon souvenir le plus ancien d'hommes âgés occupés à jouer remonte au début des années 1960, à Paris. À l'époque, je suivais un troisième cycle de philosophie à la Sorbonne. Ces cours m'auraient sans doute laissé perplexe s'ils avaient été en anglais, alors je vous laisse imaginer en français… Je me sentais donc un peu seul et pathétique, d'une façon vaguement romantique, comme peuvent l'être les éternels adolescents ou certains Parisiens. Je partais dans des balades moroses avec mon exemplaire de sept cents pages de *L'Être et le Néant* de Jean-Paul Sartre. À l'occasion de l'une d'elles, je suis tombé sur une arche en pierre qui menait aux jardins des Arènes de Lutèce, dans le 5e arrondissement. Dans ce lieu bien caché, j'ai découvert les restes d'un avant-poste romain du Ier siècle et un amphithéâtre colossal.

Je suis allé m'asseoir tout en haut de la tribune. Plus bas, à l'endroit même où des gladiateurs avaient un jour joué à des jeux bien plus mortels, six vieux Français jouaient à la pétanque. J'ai d'abord été frappé par la grâce et l'élégance de ces hommes : ils portaient tous une veste et une cravate, certains un béret, et leur attitude les un envers les autres était à la fois distinguée – un coup finement exécuté était salué par une révérence délicate de la part des autres joueurs – et d'une familiarité chaleureuse. Ils riaient et souriaient souvent, ils se tapaient fréquemment dans le dos et sur l'épaule. Mais surtout ce sextuor de vieillards beaux et dignes jouait avec enthousiasme.

J'ai été profondément ému par cette scène. Pour des raisons que je ne m'expliquais pas à l'époque, je me sentais soudain plein d'un espoir qui m'avait manqué depuis si longtemps que je n'ai pas reconnu immédiatement ce sentiment. Le bonheur des joueurs flottait jusqu'à moi, m'enveloppait. En y repensant aujourd'hui, je crois qu'une grande part de mon exaltation était due au fait que ces hommes étaient *âgés*, à la fin de cette vie que moi je commençais, et que malgré tout ils se réjouissaient d'être en vie. Je suis incapable de penser à quelque chose de plus inspirant pour un jeune homme faisant ses premiers pas, maladroits, dans l'âge adulte.

La joie qui habitait ces vieux Français résultait-elle de leur immersion dans le jeu, ou le jeu était-il une expression de la joie qui existait déjà en eux, un exutoire de cette joie ? C'est le genre de question que se posent les philosophes et les psychologues (et Huizinga), mais personnellement je me satisfais du simple fait de savoir que le jeu pur et la joie sont intimement liés.

Je suis convaincu que ce n'est pas un hasard si, quelques jours à peine après avoir assisté à cette partie de pétanque, j'ai abandonné l'université et décidé de me divertir le plus possible avant de ne plus avoir d'argent et de devoir retourner aux États-Unis pour gagner ma vie. C'était sans doute l'épicurien en moi : j'avais envie de jouer. Peut-être ai-je aussi été encouragé par la découverte d'une étymologie amusante dont un de mes camarades de la Sorbonne venait de me parler : en grec ancien, le mot désignant l'école signifie à l'origine « loisir ». Ce camarade m'avait raconté que Platon affirmait dans son dialogue, *Euthydème*, dans lequel Socrate dénigre les sophistes, qu'un homme apprend plus en « jouant » avec les idées durant son temps libre que dans une salle de classe. Et le successeur de Platon, à savoir le champion du monde du loisir, Épicure, était convaincu du lien, à la fois simple et noble, entre l'apprentissage et le bonheur : le vrai but de l'éducation était d'harmoniser l'esprit et les sens avec les plaisirs de la vie.

Pas besoin d'en rajouter. Adieu, la fac !

Quelques semaines seulement après l'épisode de la partie de pétanque, j'errais dans la campagne espagnole quand j'ai vu un groupe de vieillards et d'enfants qui récoltaient des amandes. Ensemble, ils avaient étendu des couvertures sous un amandier. Les plus jeunes remuaient doucement les branches de l'arbre à l'aide de bâtons et de râteaux pour faire tomber les fruits, tandis que les vieux, debout à l'extrémité des couvertures, rabattaient du bout du pied les amandes qui atterrissaient à côté du tissu. La répartition des tâches était parfaite : les très jeunes s'agitaient vigoureusement, les plus vieux faisaient tranquillement glisser leurs pieds.

Je les ai regardés pendant quelques minutes, et je me suis laissé envahir par le rythme régulier de leurs mouvements, un tempo croisé captivant, de secousses et de coups de pieds, digne d'un solo de batterie d'Elvin Jones. Évidemment, un peu plus tard, ils ont tous entonné un chant traditionnel qui, j'en suis certain, était chanté depuis des siècles par les enfants et les vieillards espagnols récoltant les amandes ensemble, une chanson qui suivait la cadence de leurs mouvements.

Ils avaient beau tous connaître la chanson par cœur, elle a jailli de leurs bouches avec la même spontanéité qu'un bond de joie. Ils avaient transformé le travail en jeu et, comme c'est l'apanage du jeu pur, s'y étaient abandonnés. C'était un acte de transcendance commune, plus exaltant selon moi que n'importe quel hymne ou prière jamais entendus dans une synagogue ou une église. Mon esprit s'est envolé en écoutant la chanson des ramasseurs d'amandes.

Les jeunes enfants sont des compagnons de jeu naturels pour les vieux. Nous avons de fabuleuses qualités en commun, qui manquent cruellement aux personnes qui se trouvent au stade délicat situé entre l'immaturité et la vieillesse. Tout d'abord, nous sommes tous deux naturellement lents et patients. Un petit enfant peut passer des heures à faire la même chose sans se presser : par exemple, construire une tour avec des cubes. Puis, quand elle vacillera et tombera, l'enfant gloussera et recommencera. À mon âge avancé, je comprends ça : je peux facilement m'abandonner à une activité répétitive. Je ne suis absolument pas pressé de terminer cette tour, comme j'ai pu l'être quand j'étais un père quadragénaire, perpétuellement mis sous pression par les responsabilités qui m'attendaient dès que j'en aurais fini avec la construction de la tour. À cette époque, j'aurais peut-être même été contrarié par la futilité de vouloir constamment reconstruire cette tour. Ce but m'aurait paru bien trop *sisyphique* et m'aurait sans doute plongé dans une profonde angoisse existentielle. Ce n'est plus le cas aujourd'hui. Le but – une tour achevée – n'est qu'un élément accessoire du jeu. Désormais, quand la tour s'effondre, je ris moi aussi. L'enfant et moi nous amusons vraiment.

Cette affinité naturelle pour la lenteur, partagée par les jeunes enfants et les vieux, concerne également les jeux intellectuels – oui, j'ai bien dit intellectuels. Le jeune enfant qui demande à son grand-père « Pourquoi les oiseaux volent ? » ou « D'où viennent les bébés ? » a frappé à la bonne porte. Les jeunes et les vieux savent bien qu'après les explications concernant les cigognes ou les œufs fertilisés, ils devront encore se confronter à des questions philosophiques élémentaires, comme le but de la vie (voler ?) et l'origine première des choses (mais d'où vient le *premier* œuf ?). Ils partagent le fondement de tout questionnement philosophique : l'étonnement aussi pur qu'espiègle. Voilà pourquoi l'enfant demande continuellement « Mais pourquoi ? » après chaque réponse que son grand-père lui donne, et voilà aussi pourquoi grand-père continuera à lui fournir des réponses jusqu'à la tombée de la nuit.

Quand je raconte une de mes blagues philosophiques préférées, c'est toujours le petit enfant qui rit le plus fort.

Andreas – Qu'est-ce qui fait tenir le monde en l'air ?

Oreste – Atlas, évidemment.

Andreas – Mais qu'est-ce qui soutient Atlas ?

Oreste – Il est debout sur le dos d'une tortue.

Andreas – Mais la tortue, elle est debout sur quoi ?

Oreste – Sur le dos d'une autre tortue.

Andreas – Et cette tortue-là, elle se tient sur quoi ?

Oreste – Mon cher Andreas, c'est tortue à tous les étages !

Un enfant comprend très bien l'absurdité de ce dialogue à l'infini, mieux que quiconque dont l'âge se situerait entre le sien et le mien.

Selon mon expérience, les animaux domestiques ont le même comportement que les personnes âgées en ce qui concerne le jeu pur. Il y a un jeu auquel je joue de plus en plus à mesure que je vieillis : me rouler par terre avec mon chien Snookers. Cela me procure un plaisir incommensurable. Je n'ai pas encore connu de mauvaise roulade avec mon toutou.

Quelles sensations peut bien procurer au vieux type que je suis le fait de se rouler dans l'herbe avec son chien ? Ou, pour l'exprimer dans les termes d'Edmund Husserl, quelle est la phénoménologie du vieux-au-chien-qui-roule-dans-l'herbe ? (On peut toujours compter sur les philosophes d'Europe de l'Est pour transformer ce que les essayistes font depuis la nuit des temps – à savoir décrire le *ressenti* de leur expérience – en un concept érudit absolument abstrait.)

D'abord, j'ai l'impression d'être ridicule. Pour être honnête, je me sens si ridicule que je glousse involontairement. Mes gloussements incitent Snookers à bondir sur ma poitrine pour me lécher le visage. Je le repousse malicieusement – je veux dire par là que je ne le fais pas très sérieusement, Snookers le sait et continue donc ses bonds et ses léchouilles. Nous roulons un peu plus. Le jeu se résume à peu près à ça.

À l'évidence, il y a un élément physiologique dans la sensation que me procure ce jeu, quelque chose en relation avec la façon dont les roulades affectent le flux sanguin de mon cerveau. Mais peu importe, ce que je ressens, c'est l'ivresse de la légèreté de l'être. Je me sens extraordinairement heureux. Si c'est de ça que l'on parle en évoquant une seconde enfance, eh bien, je suis ravi de me trouver à ce stade !

Il arrive qu'un de mes voisins me surprenne à me rouler par terre avec Snookers. Je crois qu'ils font alors preuve d'une certaine indulgence à mon égard, en raison de mon âge avancé. Quoi qu'il en soit, je suis fier de pouvoir dire que Snookers et moi restons concentrés.

Naturellement, par une journée ensoleillée, je n'ai qu'à regarder en direction de la table de Tasso sur la terrasse de Dimitri pour apercevoir les camarades de jeu les plus chers à un vieil homme : ses vieux amis. Par chance, aux États-Unis, j'ai ma propre version de la table de Tasso.

Il y a plus de trente ans, quand nous avions à peine quarante ans, mon ami Lee, un scénariste de comédie, a fondé un club qui consistait en des déjeuners entre types drôles. Avec un certain optimisme – il espérait que nous arriverions jusque-là –, il baptisa le club *Les Vieux Schnocks*. Lee s'imaginait sans doute des réunions dignes de celles de la table ronde de l'Algonquin. Mais, bien évidemment, celles-ci ont vite ressemblé à des réunions de blagueurs à l'humour potache.

Nous nous réunissons toujours, tous les deux ou trois mois, dans un restaurant bon marché, et jactons pendant des heures. Nous partons parfois d'un sujet sérieux, le dernier scandale politique, par exemple ; mais celui-ci ne sert que de point de départ à une blague puis à une autre, puis à une autre encore plus drôle, puis une plus drôle que la plus drôle… Bref, blague sur blague, la plupart racontées sans se presser, comme le faisaient nos grands-pères, avec moult personnages étranges et digressions, à tel point que la blague devient une histoire à dormir debout, pleine de détails, presque surréaliste. Il ne s'agit en rien d'une compétition même si, bien sûr, les mauvais jeux de mots sont hués si fort que le serveur sursaute souvent.

Nous, les vieux, rions comme des idiots.

Ce que nous faisons, selon la classification du professeur Huizinga, est l'une des formes les plus élaborées de récréation humaine : jouer avec les mots et les idées. L'esprit, l'humour : intégrer le monde à notre imagination, s'amuser avec, puis faire passer sans vergogne l'absurde pour du réel.

Le plus bel exemple de vieux qui jouent

Cinq ans après avoir croisé le chemin de ces jeunes et vieux cueilleurs dans la campagne espagnole, j'ai vu pour la première fois des vieux Grecs danser, une forme extatique de jeu que je n'avais jamais vue auparavant et n'ai jamais revue exécutée avec autant de passion depuis. À l'époque, je venais à peine d'arriver à Hydra. Et je n'avais pas encore rencontré ces nombreux amis, qu'ils soient grecs ou expatriés, qui viendraient enrichir ma vie.

Par la fenêtre de ma maison en haut de la colline, la pleine lune illuminait si intensément les maisons de chaux et les chemins de pierres d'Hydra qu'on aurait dit le négatif d'une photo de l'île prise en plein jour. Le paysage, qui m'avait paru si nu sous les rayons du soleil, avait désormais, éclairé par la lune, quelque chose de fantomatique. La lumière étrange qui traversait ma fenêtre m'a attiré à l'extérieur, et poussé sur le chemin de la côte pour une balade nocturne. Il n'y avait pas le moindre bruit, à l'exception d'un braiment occasionnel d'âne ou d'un chant du coq. Je me suis alors rendu compte qu'il n'y avait quasiment aucun bruit de fond sur l'île. Un lieu sans véhicule motorisé redéfinit complètement ce que vous pensez savoir du silence.

J'ai entendu la musique qui venait du port, d'abord un simple rythme tremblant de basse, puis, marchant en direction de la musique, les vibrations typiquement turques du bouzouki. J'ai suivi le son jusqu'à une taverne baptisée Chez Loulou. J'avais alors reconnu la chanson, un classique de Mikis Theodorakis, dont la musique était à l'époque interdite par la dictature en place en raison des activités antifascistes du compositeur. Les portes de Chez Loulou étaient fermées, mais l'une des fenêtres était grande ouverte. J'ai jeté un œil à l'intérieur.

Cinq vieillards dansaient côte à côte, liés les uns aux autres par des mouchoirs qu'ils tenaient dans leurs mains levées. Leurs visages burinés regardaient vers le haut, avec ce qui me sembla être de la fierté, un air de défi, mais avant tout de la jubilation. Tous s'efforçaient de garder le dos droit, sans grand succès ; pourtant, leurs jambes exécutaient les pas de côtés de la chorégraphie en parfaite harmonie et avec grâce. Quand, vers la fin de la chanson, la musique a progressivement accéléré, ils en ont fait de même. Après le grand final, ils sont restés un long moment, en silence, debout les uns à côté des autres, les bras levés. Personne n'a crié « *Oupa !* » comme c'est, je l'appris plus tard, la tradition. En résumé, je venais d'assister à une danse à la vie… à sa résistance en dépit du régime autoritaire en vigueur à

Athènes et, surtout, en dépit des contraintes de la vieillesse. C'est une des formes de jeu les plus exaltées qui soit.

Je comprenais parfaitement ce que Platon voulait dire en affirmant que le jeu pur a quelque chose de divin. Dans son chapitre sur le jeu, très souvent cité, de son ouvrage *Les Lois*, il écrit : « L'homme, nous l'avons dit, n'a été fait que pour être un jouet aux mains de Dieu, et c'est là vraiment le meilleur de son lot. Voilà donc à quel rôle doivent, tout au long de sa vie, se conformer tout homme et toute femme, en jouant aux plus beaux jeux qui soient [...]. Où donc est la voie droite ? Vivre en jouant. »

En fait, depuis Platon, un grand nombre de philosophes, majeurs comme mineurs, ont donné leur point de vue sur la signification métaphysique du jeu, comme le penseur ontologique allemand le plus énigmatique du XXe siècle, Martin Heidegger, qui pose dans *Le Principe de raison* la question suivante, plutôt déroutante : « Devons-nous penser l'être et le fond [...] à partir de l'être du Jeu ? »

La question d'Heidegger est un peu trop pointue pour moi, cependant j'ai la conviction qu'il y a quelque chose de fondamental dans cette idée d'une existence qui ne serait qu'un jeu. C'est une vision du monde qui chérit la vie sans la prendre complètement au sérieux. Il ne s'agit pas de cynisme, de dire « Tout ça n'est qu'une vaste blague, donc rien n'a d'importance », mais de l'instinct affirmant que l'on peut transcender sa vie en jouant avec. Oui, nous sommes les joueurs d'un jeu que nous ne pourrons jamais pleinement comprendre. Mais quel jeu épatant !

Jouer avec le temps

« Il fait rouler chaque bille selon le rythme qu'il ressent en lui », me dit Dimitri en agitant la main vers son père, Ianos, qui regarde pensivement par la fenêtre tout en jouant avec son komboloï. « C'est comme un chef d'orchestre qui déciderait du tempo de sa vie. »

Si l'interprétation de Dimitri est juste, il y a sans doute alors quelque chose d'existentialiste dans le fait de jouer avec un komboloï. Le « ralentir » ou « l'étirer » est une façon de ne faire plus qu'un avec le temps. Cette vieille tradition grecque pratiquée par Ianos n'est pas destinée à passer le temps mais plutôt, au contraire, une façon de capturer le temps, de se l'approprier. Ianos *joue* avec le temps.

Je demande à Dimitri pourquoi, selon lui, la tradition du komboloï se perd de plus en plus en Grèce. Il hausse les épaules.

« Qui sait ? dit-il. Nous somme de plus en plus européens et de moins en moins nous-mêmes. Ce n'est pas forcément une mauvaise chose. J'ai grandi dans la peur du *matiasma* (le mauvais œil). Je devais porter un de ces bracelets bleus pour m'en préserver. Je l'ai même porté pendant toutes ces années en mer, ce qui m'a valu de nombreuses moqueries. Désormais, seuls les vieux croient au *matiasma*. Pour être honnête, toutes ces foutaises ne me manquent pas. »

« Mais le komboloï te manquera ? », lui demandé-je.

« J'ai toujours le mien, répond-il. Je joue avec de temps en temps, mais seulement quand je suis seul. Je suis peut-être un peu gêné de m'en servir en public aujourd'hui. Mais oui, ça me manquera quand la génération de mon père s'en ira et que tout ça tombera aux oubliettes. » Il rit. « Mais peut-être que ce ne sera pas le cas. Il paraît qu'ils sont à nouveau à la mode chez les jeunes branchés d'Athènes… qui s'en servent pour s'aider à arrêter de fumer. Ils débarquent de l'hydrofoil, leur komboloï dans une main, leur iPhone dans l'autre. »

Je ne peux m'empêcher de rire à les imaginer ainsi. L'image résume parfaitement les deux extrêmes du « temps vécu ».

« La mémoire est la mère de toute sagesse. »

Eschyle

Chapitre trois

Les gouttes de pluie sur les photographies de Tasso

UNE RÉFLEXION SOLITAIRE

Sur le chemin du retour, j'aperçois à nouveau Tasso, assis sur son plus haut balcon ; quelques minutes plus tard, je l'observe, cette fois depuis la fenêtre qui surplombe mon bureau. Sur une petite table à côté de lui sont posés quelques cahiers et ce qui me paraît être une boîte pleine de cartes postales et de photographies. Son visage ridé semble à la fois pensif et satisfait. C'est un jour de réflexion solitaire.

De ma chambre, j'entends la pluie qui commence à tomber, crépitant doucement sur les tuiles du toit au-dessus de ma tête. J'ai un peu froid, je me sens un peu seul et, il faut l'admettre, particulièrement vieux. Et je ne crois pas que quelques pas de danse triomphants me serviraient à quoi que ce soit en cet instant. Je m'allonge sur mon lit étroit pour poursuivre mes lectures sur les philosophies de l'ennui et du jeu. C'est ma stratégie du moment pour garder à distance le blues du vieillard un jour de pluie. Cela semble être le *kairos* idéal pour jouer avec les idées.

La pensée oisive

Svendsen souligne que de nombreux penseurs de l'Antiquité établissaient un lien entre une existence oisive, la production de grandes idées et une meilleure compréhension de la vie. Il cite le poète romain Lucain, qui écrit : « L'oisiveté dissipe toujours l'esprit en tout sens[1]. » Il cite aussi Montaigne qui, dans son essai *De l'oisiveté*, semble de tout cœur d'accord et ajoute que, tout comme « le cheval eschappé », la pensée oisive est bien plus aventureuse que la pensée régentée. Svendsen mentionne également le philosophe allemand du XVIIIe siècle Johann Hamann, qui était convaincu que l'homme oisif avait une bien meilleure approche des idées philosophiques que l'universitaire, en partie parce qu'il risquait moins de se perdre dans

---

1. Lucain, IV, 704.

des détails insignifiants. Ce n'est pas moi qui le contredirais. Apparemment, Hamann était même un peu susceptible sur le sujet de l'oisiveté : quand un ami lui reprocha de paresser, on dit qu'il répondit que le travail était une activité facile mais que la véritable oisiveté exigeait du courage et de la volonté.

La véritable oisiveté requiert également de la patience, laquelle est, d'une certaine façon, un antidote à l'ennui. Un vieil homme digne de ce nom peut se révéler être un maître de patience pour la simple raison qu'il n'est absolument pas pressé que le temps passe. Je me souviens avoir un soir entendu, il y a très longtemps, à bord d'un train bondé me conduisant à Philadelphie, une jeune fille se plaindre à sa mère : « Mon Dieu ! J'aimerais que le voyage soit déjà fini ! » Sa mère, une femme aux cheveux blancs, lui répondit non sans une certaine éloquence : « Ma chérie, ne souhaite jamais qu'on t'arrache ne serait-ce qu'une minute de ta vie. »

On peut même considérer comme une bénédiction l'absence de nouvelles expériences chez les personnes âgées. Nous avons déjà donné dans la *nouveauté*, et elle nous a souvent paru insuffisante. Svendsen écrit : « L'ennui existentiel […] doit fondamentalement être entendu comme l'idée d'un manque d'expérience accumulée. Le problème, c'est que nous essayons de dépasser cet ennui en amassant des sensations toujours plus nouvelles et plus fortes, au lieu de nous autoriser à accumuler l'expérience. »

Oui, *l'expérience accumulée*, c'est précisément ce dont une personne âgée dispose en abondance. Le secret consiste à ralentir suffisamment pour pouvoir contempler cette expérience accumulée et, avec un peu de chance, la savourer.

La supériorité des plaisirs de l'esprit

Épicure était convaincu que les plaisirs de l'esprit surpassaient les plaisirs physiques, notamment parce que l'esprit a l'avantage de pouvoir contempler les plaisirs du passé et d'anticiper ceux à venir. Selon l'explication du philosophe romain Cicéron, épicurien converti sur le tard, ceci permettait une série « de plaisirs stables et intrinsèquement liés ».

Du point de vue de la psychologie moderne, la capacité épicurienne de l'esprit à éprouver du plaisir rien qu'en se remémorant des sensations plaisantes semble exagérée et excessivement optimiste. Néanmoins, l'enthousiasme d'Épicure pour les joies de la pensée – et particulièrement la contemplation solitaire et la conversation instructive – est un sentiment auquel il vaut la peine de réfléchir.

Épicure et Platon étaient tous deux convaincus que le grand âge offre une chance unique de libérer et de diversifier sa façon de penser. Dans *La République*, Platon l'explique, de façon assez primaire, par le fait que nous ne sommes plus aussi excités sexuellement : « Le grand âge a un sens aigu du calme et de la liberté, lorsque les passions ont lâché prise [...] et se sont libérées, non pas de leur maître, mais de leur nombreux maîtres. » Cette opportunité du grand âge, Épicure la considérait comme une raison supplémentaire de laisser le monde du commerce et de la politique derrière nous, de nous en libérer, pour permettre à notre matière grise de se consacrer à d'autres sujets, des sujets souvent plus personnels et philosophiques. Être immergé dans le monde commercial limite l'esprit, le cantonne à des pensées conventionnelles et acceptables ; il est difficile de conclure la moindre vente si l'on s'arrête en pleine négociation pour méditer sur la relation de l'homme au cosmos. De plus, sans agenda, nous avons le temps de ruminer, pour suivre une idée aussi longtemps et aussi loin qu'elle nous conduira. Dans une lettre à Ménécée, Épicure souligne que le vieil homme se trouve dans une position idéale pour ouvrir son esprit à de nouvelles idées car « il est constamment sans crainte en face de la mort ». Un vieil homme n'a pas à s'inquiéter de son prochain coup, la partie d'échecs est terminée. Il est libre de penser à tout ce dont il a envie !

Des recherches contemporaines sur le cerveau confirment, d'un point de vue synaptique, l'observation de Platon qui affirme que le grand âge est une période idéale pour se consacrer à la pensée philosophique. Une étude de l'université de Montréal a révélé que l'esprit d'une personne âgée est en ce sens plus efficace que celui d'un jeune. Le chercheur qui a dirigé l'étude, le docteur Oury Monchi, écrit : « Nous avons désormais la preuve neurobiologique que la sagesse vient avec l'âge et que, à mesure que le cerveau vieillit, il apprend à mieux répartir ses ressources. » Une autre étude de l'université de Californie de San Diego a par ailleurs montré qu'« un cerveau plus lent est sans doute un cerveau plus sage » parce que, chez les personnes âgées, les parties du cerveau liées à la pensée abstraite et philosophique et à l'anticipation perceptive se sont libérées des effets distrayants du neurotransmetteur qu'est la dopamine. « Le cerveau âgé est moins dépendant à la dopamine, leurs propriétaires sont donc moins impulsifs, moins soumis à leurs émotions », conclut l'étude. Ah ! C'était donc la dopamine, ce « maître » dont parlait Platon.

Je ne suis pas tout à fait à l'aise avec le fait de laisser les scientifiques définir ce que signifie l'expression « plus sage ». Je reste cependant convaincu que les personnes âgées ont la capacité de réfléchir avec une perspective substantiellement *différente* de ce qu'elle était quand ils étaient plus jeunes. Peut-être parce que les thèmes qui méritent une réflexion plus lente apparaissent avec le fait de réfléchir plus lentement, ou parce qu'une personne âgée a simplement plus de temps pour la contemplation, ou – qui sait ? – parce qu'elle s'est défait de son addiction à la dopamine. Quelle que soit l'origine de sa nouvelle façon de penser, le vieil homme a l'opportunité de réfléchir à des choses fascinantes.

L'envie d'écrire une autobiographie

Nous, les personnes âgées, aimons souvent repenser aux expériences que nous avons accumulées au cours de notre vie. Dans la lettre qu'il a écrite à Ménécée sur son lit de mort, Épicure affirme que quand un homme est vieux, il « peut rajeunir au contact du bien, en se remémorant les jours agréables du passé ». Cela me rappelle une expression que j'avais entendue, enfant, de la bouche d'un voisin : « Cette femme est si vieille qu'elle a l'âge qu'elle veut. »

Mais parfois, une personne âgée veut faire plus que simplement se souvenir du passé de façon aléatoire : elle souhaite trouver le fil de sa vie, quelque chose qui l'unifierait en tant que telle.

L'autobiographie et le grand âge authentique

L'instinct autobiographique se décline de deux façons. La première est ce désir ardent, caractéristique de notre époque, de transmettre l'histoire de notre vie aux autres : ce phénomène récent chez les plus de soixante-cinq ans a donné lieu à une abondante publication de mémoires. La seconde façon consiste simplement à ordonner l'histoire de notre vie pour *nous-mêmes*. Ces deux instincts sont souvent contradictoires. Qui écrit ses mémoires pour les autres risque fort d'être tenté de céder aux exigences de l'intérêt littéraire. Après tout, qui a vraiment envie qu'on se souvienne de lui comme de celui qui passait un temps excessif à regarder *New York, Police judiciaire* ? On ne va pas mettre ça dans son autobiographie ! Pourtant, le fait qu'une personne ait passé de nombreuses heures captivée par la série *New York, Police judiciaire* est peut-être pertinent dans la démarche, honnête, de donner un certain sens à la vie qu'elle a vécu. Pour un esprit philosophique, l'entreprise risquée de contempler son histoire pour soi et personne d'autre est une condition *sine qua non* pour vivre une vieillesse épanouie.

Mais certains philosophes ne sont pas d'accord. Dans le second livre de sa *Rhétorique*, Aristote, grincheux dès qu'il s'agit de personnes âgées, écrit : « Ils vivent par le souvenir plus que par l'espoir, ce qui leur reste à vivre est court, et leur passé est long ; or l'espoir embrasse l'avenir, et le souvenir le passé. De là vient leur loquacité ; car ils racontent perpétuellement ce qui leur est arrivé, trouvant du charme dans ces souvenirs. »

Il est peu de dire que ceci n'est pas un encouragement chaleureux à suivre son instinct autobiographique.

Bertrand Russell va plus loin encore qu'Aristote. Russell, un « jeune à jamais » avant l'heure qui a vécu jusqu'à quatre-vingt-dix ans (il attribuait avec humour sa longévité au fait d'avoir choisi ses ancêtres avec soin), écrivit en 1975, dans un article intitulé « Comment devenir vieux ? » : « L'esprit des personnes âgées doit se préserver de deux dangers. D'abord d'être excessivement absorbé par le passé. Cela ne sert à rien de vivre plongé dans ses souvenirs, dans les regrets du bon vieux temps, ou dans la tristesse des amis décédés. Nos pensées doivent être tournées vers l'avenir, et vers des choses sur lesquelles nous avons encore une influence. »

Dans le poème « Pourquoi les vieux ne seraient-ils pas fous ? », William Butler Yeats décrit ce qu'il considère comme une conséquence inévitable pour qui reste ancré dans le passé : un documentaire intime et dramatique d'espoirs déçus.

« Pourquoi les vieux ne seraient-ils pas fous ?
On a déjà vu un garçon plein d'avenir,
Au poignet solide de pêcheur à la ligne,
Se transformer en journaliste ivrogne
Une fille qui jadis savait tout Dante par cœur
Vivre pour donner des enfants à un ignorant
[…]
On ne trouverait pas une seule histoire
De bonheur ininterrompu,
Pas une fin digne du début.
Les jeunes ne savent rien de tout ceci ;
Perspicaces, les vieux le savent bien ;
Et quand ils savent ce que racontent les vieux livres,
Et qu'on ne peut trouver mieux,
Ils savent pourquoi un vieillard se doit d'être fou. »

Mais pour moi, le plus convaincant est le psychologue existentialiste Erik Erikson, persuadé que les souvenirs ne sont pas obligatoirement mêlés de regret et de désespoir. Erickson affirme que, bien au contraire, se souvenir avec sagesse et maturité est exactement ce dont nous avons besoin pour vivre une vieillesse épanouie.

De l'impératif autobiographique

L'une des contributions les plus reconnues d'Erikson à la psychologie moderne fut sa classification des différents stades d'évolution personnelle. Ces derniers dépassaient de loin les traditionnels stades freudiens de la petite enfance et s'étendaient sur toute la vie, vieillesse y compris. Ce dernier stade, Erikson l'appelait, avec optimisme, « la maturité ».

À chaque stade, Erikson affirme qu'il existe une tension contradictoire qu'il faut résoudre pour passer avec succès au stade suivant. Par exemple, le jeune adulte doit résoudre la tension fondamentale qui existe entre l'intimité et l'isolement. Une résolution réussie découle de sa capacité à créer des relations affectives avec les autres ; s'il en est incapable, il ne connaîtra que la solitude et l'aliénation. Pour la maturité, Erikson voit une tension entre ce qu'il appelle « l'intégrité personnelle » et le désespoir. La tâche fondamentale de ce stade est de savoir *contempler sa vie.*

Selon Erikson, une résolution réussie de la tension entre l'intégrité personnelle et le désespoir génère un sentiment d'accomplissement sage et réfléchi : une acceptation philosophique de soi-même, malgré les erreurs et les faux pas que l'on a pu commettre. Pour Erikson, l'acceptation philosophique de sa vie, quand on est vieux, découle directement de notre maturité en matière d'amour. Il a écrit que la relation clé de celui qui vit sa vieillesse de façon épanouie est celle qu'il entretient avec, plus qu'avec quiconque, le genre humain – qu'il appelle « mon genre » –, la relation familiale la plus poussée. Si l'on échoue à savoir « contempler sa vie », il n'en résulte que regret et amertume.

Ainsi, selon la philosophie d'Erikson, ce désir qu'éprouvent les personnes âgées de trouver le fil conducteur de l'histoire de leur vie est plus qu'une simple lubie née de leur tristesse ou de leur rêverie oisive : c'est un point fondamental. Svendsen suggère la même chose quand il écrit que « l'expérience accumulée » est à l'opposé de l'ennui qui surgit quand on vit des expériences isolées et sans lien – l'une après l'autre. Bien au contraire, « l'expérience accumulée » en est l'antidote. Trouver un lien entre les expériences vécues est une façon de donner un sens à sa vie.

La mémoire sélective

Charles Dickens ouvre son chef-d'œuvre, *David Copperfield*, sur cet incipit : « Serai-je le héros de ma propre histoire, ou quelque autre y prendra-t-il cette place ? C'est ce que ces pages vont apprendre au lecteur. »

Cette phrase me fait sourire à chaque lecture. Après tout, si je ne suis pas le héros de ma propre vie, qui pourrait bien l'être ? Mais je soupçonne le vieux Dickens d'avoir en réalité voulu faire une blague proto-existentialiste : ce « quelque autre » pourrait être la personnification de puissances externes qui déterminent les événements de la vie de David Copperfield, à savoir son destin. Pour dire les choses autrement, peut-être Copperfield n'a-t-il pas choisi sa vie, l'a juste laissée lui arriver. Les existentialistes n'approuveraient certainement pas. Savoir si Copperfield est ou non le héros *subjectif* de sa vie est la question fondamentale à laquelle ce narrateur à la première personne espère apparemment répondre en relatant ses aventures dans « ces pages ». Pour cela, il faut commencer par se demander quels événements sont significatifs, et si ceux dont ils découlent le sont eux aussi.

Même quand on écrit ses mémoires pour soi et pour nul autre, on sélectionne ses souvenirs : on choisit ceux qui donnent une impression un tant soit peu ordonnée de son histoire intime, d'une logique de cause à effet, qui pourrait souligner une évolution personnelle. Et puis il y a cet autre épineux problème, résumé avec brio par Mark Twain : « Quand j'étais jeune, j'étais capable de me souvenir de n'importe quel événement, qu'il se soit produit ou non. Mais je deviens vieux, et bientôt, je serai à peine capable de me souvenir de ce qui ne s'est jamais produit. » Il semblerait en fin de compte qu'il soit nécessaire de réfléchir à cette satanée question philosophique, « Comment savons-nous que les choses existent réellement ? », nuancée cependant par une précision : « Cela a-t-il vraiment une importance dans notre affaire ? »

Quand nous nous remémorons le passé par simple plaisir, nous ne sommes en général pas à la recherche d'une vérité factuelle. C'est de retrouver une *expérience*, qui nous intéresse : la sensation qu'elle nous a procuré, ce qu'elle signifiait pour nous à l'époque, et ce qu'elle signifie désormais. Par exemple, que j'aie ou non eu une conversation précise avec le professeur Erikson pendant mes études universitaires, ou que je la confonde avec une conversation avec un camarade de classe, voire avec moi-même après avoir assisté à une conférence d'Erikson, cela n'est pas fondamentalement pertinent dans la construction d'une histoire de ma vie qui aurait un sens. Ce qui peut *éventuellement* compter, et probablement beaucoup, c'est que le sujet de cette conversation – qu'elle ait eu lieu ou non – a eu sur moi un impact considérable, et sans doute soulevé une question cruciale dans ma vie, voire forgé ma vision du monde en tant que tel. En effet, le fait que ce souvenir existe et l'importance que je lui prête comptent plus que sa réalité objective et absolue.

Non, je ne me perds pas dans un monde farfelu où j'affirmerais qu'un souvenir est réel pour la simple raison que je pense qu'il l'est. Si je me souviens précisément de mes premiers pas sur la lune en tant qu'astronaute, bien qu'on me dise de source sûre que je n'ai jamais été astronaute et que je n'ai pas plus marché sur la lune que dans les plaines de Sibérie, je devrai bien reconnaître avoir attendu trop longtemps pour contempler l'histoire de ma vie, et avoir déjà basculé dans le « grand grand âge », là où je n'ai plus les idées claires. Mais je pense pouvoir tracer une frontière entre ma conversation, peut-être illusoire, avec le professeur Erikson et le souvenir fantasmé de mes pas sur la lune. Néanmoins, la tâche n'est pas simple.

Je me souviens d'une série de conférences sur la mémoire données à la bibliothèque de New

York sur le thème : « Inventer la vérité ». Il a beau être amusant de prime abord, ce titre dit quelque chose de très important : quand nous essayons d'assembler l'histoire de notre vie, nous essayons toujours d'organiser nos souvenirs selon un thème récurrent. Ceci va donc déterminer quels souvenirs nous allons sélectionner. L'inverse est bien évidemment vrai aussi : nous avons parfois un thème précis en tête et cherchons dans notre mémoire les souvenirs qui pourraient valider sa pertinence.

À notre façon, nous avons la même ambition que Dickens : en sélectionnant et en privilégiant certaines scènes de notre vie par rapport à d'autres, nous essayons de la rendre cohérente, voire – que le Ciel nous en préserve – de lui donner un sens. Mais si arbitraires nos choix soient-ils, ils sont tout ce que nous avons pour accomplir cette tâche. Dans son pavé de deux kilos, *L'Être et le Néant*, Sartre écrit que le souvenir a quelque chose de magique et qu'en nous souvenant, nous semblons atteindre cette synthèse impossible dont pourtant notre vie a tant besoin.

Dans cette vieillesse philosophique, il n'y a rien dont j'aie plus besoin que de cette impossible synthèse.

De la sagesse des *Fraises sauvages*

Vers la fin de son célèbre cours sur le cycle de la vie humaine qu'il donnait à Harvard à la fin des années 1960, Erikson avait l'habitude de baisser les stores de sa salle de classe pour montrer à ses étudiants *Les Fraises sauvages*, le film désormais culte d'Ingmar Bergman. Erikson affirmait qu'aucun exemple dans l'Histoire ni aucune étude de psychologie n'avait su capter « la cohérence générale, le *gestalt* d'une vie entière » aussi bien que le faisait ce film. Il le considérait comme le portrait extrêmement moderne et extraordinairement sensible d'un vieil homme qui se remémorait sa vie en cherchant à la fois à lui donner un sens et à faire la paix avec elle.

Je comprends très bien ce qu'Erikson veut dire quand il parle de la richesse des *Fraises sauvages*. Le film relate une longue journée du docteur Isak Borg, un biologiste suédois à la retraite. Une journée de voyage, de souvenirs, de rêves, de pressentiments et de réunions avec divers membres de sa famille. Accompagné de sa belle-fille, séparée de son fils, Borg fait le voyage en voiture jusqu'à l'université de Lund, où il doit recevoir un prix pour ses cinquante années de bons et loyaux services. Au début du voyage, c'est un vieil homme amer, seul et très cynique vis-à-vis de la religion et de ses éventuels réconforts, ou sur la possibilité que sa vie, comme celle de tout un chacun, puisse avoir une quelconque transcendance.

Avant même que ne commence ce voyage, Borg doit faire face à l'imminence de sa mort dans un rêve glaçant, avec une horloge sans aiguilles et un corbillard tiré par un cheval au galop, dans lequel il voit bientôt son propre cadavre. L'ombre de sa mortalité le suit toute la journée et le force à essayer une dernière fois de donner un tant soit peu de sens à sa vie. Un processus extrêmement douloureux pour lui.

La plupart des souvenirs qui lui reviennent, surtout ceux de son enfance, sont presque impossibles à distinguer de ses rêves, et de surcroît ils lui reviennent déformés par ses émotions qui leur confèrent un caractère onirique, notamment par l'omniprésence de ses regrets. Ces déformations rendent-elles ses souvenirs moins réels ? Ou ne font-elles que mettre en lumière ce qu'ils symbolisent pour lui ? Pour Erikson, ces deux questions passent à côté de la justesse saisissante de la vision de Bergman qui affirme que nous sommes capables d'« inventer la vérité » de nos souvenirs grâce à la sagesse que nous leur prêtons. Le regret n'est pas la seule lunette à travers laquelle Borg peut regarder sa vie.

Mais on ne peut pas non plus affirmer que le regret ne fait pas partie intégrante des *Fraises sauvages* : il ne s'agit pas d'un film guilleret à la fin duquel Borg conclurait que, au fond, il a plutôt bien réussi sa vie. Loin de là. Cependant, à la fin de sa journée, Borg atteint une certaine rédemption. Il accepte sa vie, regrets y compris, comme étant la *sienne* : une vie grandement liée à « mon genre », au genre humain. Et il tend douloureusement la main aux gens qui l'entourent.

Federico Fellini, le réalisateur italien de 8 ½, un autre film consacré à une vie, s'attaque à la question des regrets de façon plus frontale et moins subtile qu'Ingmar Bergman avec *Les Fraises sauvages*, mais aussi plus enjouée, voire comique. Vivre au bord de la Méditerranée a souvent cet effet sur l'homme. Dans 8 ½, le personnage central, Guido, un cinéaste à court d'inspiration, repense aux personnes et aux événements de sa vie. Ces souvenirs deviennent le film qu'il cherchait désespérément à écrire. Tout au long du film, Guido doit faire face aux commentaires d'un chœur grec cynique incarné par Daumier, son critique le plus féroce. Daumier affirme : « Quelle monstrueuse prétention de croire que les autres pourraient profiter du pâle catalogue de vos erreurs ! Et pour vous, était-ce vraiment important de recoudre les lambeaux de votre vie… de vos vagues souvenirs… ? »

Pourtant, à la fin de son voyage, Guido est extatique, comme fou : « Mais je ne sais pas quoi dire. Tout est comme autrefois. Tout est de nouveau confus… et cette confusion, c'est moi ! Moi, oui, moi tel que je suis… et je n'ai plus peur. Dire la vérité, une vérité que je ne connais pas, que je cherche, que je n'ai pas encore trouvée. C'est seulement ainsi que je pourrai vivre et… regarder sans honte tes yeux fidèles. La vie est une fête. Nous la vivrons ensemble… Accepte-moi tel que je suis si tu le peux. C'est la seule façon de nous retrouver. »

La conversation que je crois avoir eue avec le professeur Erikson concernait la fin des *Fraises sauvages*. J'avais vingt ans à l'époque et j'étais, de manière générale, en colère contre le monde entier, comme nous étions nombreux à l'être au début des années 1960. Je ne pouvais absolument pas imaginer alors ce que c'était d'être un vieil homme qui contemple sa vie, mais cela ne m'a pas empêché de dire à mon professeur : « N'était-ce pas un peu tard pour que Borg essaie de se lier à d'autres personnes ? Après tout, sa vie était presque finie. » Et le professeur Erikson m'a simplement répondu : « Il avait encore le temps. »

Je me lève de mon lit et marche doucement jusqu'à ma fenêtre. Tasso s'est réfugié à l'intérieur de sa maison, mais je peux encore le voir, assis à une table, juste en face de moi. Avec la manche de sa chemise, il essuie des gouttes de pluie sur une vieille photographie.

« L'homme est condamné à être libre [...] parce qu'une fois jeté dans le monde, il est responsable de ce qu'il fait. »

Jean-Paul Sartre

Chapitre quatre

Un vent de beauté juvénile

Un vent chaud venant d'Afrique souffle sur l'île aujourd'hui. Il n'est ni assez fort ni assez ardent pour être qualifié de sirocco (en grec *sirokos*), mais cela n'empêche pas les habitants d'ici d'affirmer qu'ils sont sous l'emprise de « l'effet *sirokos* » : humeurs bouillantes et passions intenses. On dit que cet effet vient de la dissonance nerveuse qu'éprouve quelqu'un qui s'attend, comme c'est en général le cas, à être rafraîchi par le vent mais sent en réalité la température de son corps augmenter à cause de lui. Depuis ma chaise de la taverne de Dimitri, les portes que j'entends claquer ne le font pas toutes sous l'effet du vent.

Certains habitants de l'île, comme Tasso, sont convaincus que beaucoup se servent de l'effet *sirokos* comme d'une excuse pour initier une

113

dispute ou s'abandonner à une partie de jambes en l'air désinhibée. Mais Tasso n'a pas l'intention de partager cette opinion en public. Il m'a un jour avoué qu'il pensait que ce soi-disant effet *sirokos* fournissait une catharsis bienvenue qui maintenait l'équilibre de son peuple de la même façon que les excès de Mardi gras préparaient les Brésiliens à affronter les privations du Carême. Je suis certain que Tasso était un juge éclairé et ouvert d'esprit.

Ses amis et lui sont à nouveau assis à leur table. Ils bavardent gentiment, jusqu'ici uniquement du temps et de ses changements possibles. Soudain, ils se taisent. Tous, sans exception, ils regardent en direction de la plus haute marche de l'escalier en pierre qui traverse la terrasse pour descendre jusqu'au chemin qui mène à la côte. Une jeune femme s'y tient désormais, comme une apparition, le vent colle sa chemise et sa jupe contre son corps splendide et voluptueux. Elle reste là quelques secondes, sans bouger, peut-être à savourer la brise tiède, mais, plus probablement, à savourer l'effet qu'elle produit sur les hommes qui la regardent : sa façon à elle de profiter de l'effet *sirokos*. Un instant plus tard, une autre femme apparaît, une femme plus âgée, enveloppée dans l'habit noir traditionnel de la veuve révérencieuse. Elle comprend immédiatement ce qu'il se passe et attrape brusquement la jeune femme par le bras puis la guide jusqu'en bas des marches. La jeune femme se nomme Elena. Elle a dix-neuf ans, c'est une beauté grecque typique, avec ses cheveux d'un noir de jais brillant, son teint olive et ses immenses yeux noirs pétillants. La matrone est sa grand-mère.

Imperturbables, les vieux continuent de fixer Elena tandis qu'elle et sa grand-mère approchent de leur table. Quand Elena et la vieille femme passent juste à côté d'eux, les quatre hommes se soulèvent légèrement de leurs sièges pour les saluer. Ce faisant, Tasso leur adresse une élégante révérence, malgré la raideur de son bassin. C'est de toute évidence une révérence d'admiration et de gratitude pour la beauté d'Elena.

Quelques secondes plus tard, après le départ de la grand-mère et de sa petite-fille, la conversation reprend à la table de Tasso. Mais on ne parle désormais plus du temps. Les joues rouges et le cœur animé, les hommes évoquent les belles femmes qu'ils ont croisées ou connues dans leurs vies. Tasso mène la discussion : c'est lui qui a le plus voyagé et il s'est marié plus tard que ses compagnons. Il commence par déclarer qu'il n'y a rien de plus beau qu'une *jeune* femme, parce qu'il n'y a pas de plus grande beauté que la jeunesse elle-même. Ce sujet révèle, plus que jamais, le côté philosophe et poète de Tasso. Je me souviens d'un ami qui, dans une situation similaire, paraphrasait Yeats et affirmait que « la beauté est jeunesse et la jeunesse est beauté ».

Pulsions sexuelles *versus* nostalgie sexuelle

Quand on a appris que les prostituées étaient les bienvenues à la table d'Épicure, la rumeur s'est répandue à Athènes que derrière les portes du Jardin se déroulaient des orgies de magnitude, disons, épicurienne. Mais la rumeur n'aurait pu être plus éloignée de la vérité.

En ce qui concerne le sexe, Épicure était fort loin de l'idée qu'on se fait aujourd'hui de l'épicurien. Il considérait en effet que le sexe avait tendance à dégénérer, à glisser en dehors de cette zone de confort qui lui semblait fondamentale. Le mariage et la procréation, eux, donnent lieu à des satisfactions durables... bien qu'Épicure ne se soit jamais marié ; mais le sexe – et le désir purement sexuel – conduisant inévitablement à un malheur plus grand, ses plaisirs furtifs n'en valent guère la peine. Le sexe traduit des besoins insatiables et vains qui accentuent la vulnérabilité et favorisent l'angoisse. Épicure a tenté de montrer pourquoi, de façon logique, le sexe mène toujours à la détresse : cela commence par la luxure, puis vient la fougue ; on atteint ensuite le zénith, le passage à l'acte, pour sombrer aussitôt dans la jalousie ou l'ennui, voire les deux. Aucun réconfort là-dedans, selon Épicure.

Je crois que peu de chose dans cette théorie parlerait à Tasso et à ses amis. À moi non plus, à vrai dire. Pour les hommes comme nous, le sexe valait en général tous les problèmes qu'il causait, même quand on y repense aujourd'hui – sans doute *surtout* quand on y repense aujourd'hui. Je ne dis pas que nous sommes de « vieux pervers », toujours obsédés par nos fantasmes sexuels et nos éventuels futurs exploits. Le plus près que Tasso ait été d'un quelconque exploit, c'est quand il a confessé à ses amis que, l'espace d'une seconde tandis qu'il regardait Elena en haut de l'escalier en pierre, il a senti un picotement dans son entrejambe. « Le géant endormi s'est réveillé. Mais il s'est contenté de bâiller avant de replonger dans son sommeil », a-t-il dit en souriant.

Je vais laisser aussi ses fantasmes de virilité et de luxure à mon ami de soixante-treize ans qui se colle des patchs de testostérone et avale des pilules de Viagra dont l'effet dure soixante-douze heures.

L'authenticité existentielle

Penser de nouveau à ce « jeune à jamais » et à son patch de testostérone m'aide à affiner ma philosophie, toujours en évolution, de ce que signifie vivre une vieillesse épanouie. C'est une chose d'avoir une libido active mais un phallus mou ; dans ce cas, le Viagra me semble être une solution merveilleuse. C'en est une autre de se coller un patch de testostérone dans l'unique but de *réactiver* sa libido. C'est comme « vouloir vouloir » quelque chose, alors que vous n'en voulez désormais plus. Et c'est une façon un peu étrange de voir les choses.

Jean-Paul Sartre, l'existentialiste qui semble s'être installé sur mon épaule à côté d'Épicure pour m'aider dans ma quête, a une vision intéressante de ce mystère du « jeune à jamais ». L'éthique sartrienne nous enjoint de vivre de manière authentique , et « l'authenticité » de Sartre se définit dans son acceptation la plus universelle : « Sois fidèle envers toi-même[1]. » Une personne vit authentiquement si elle accepte et suit le principe que son existence précède son essence. Un homme n'est pas, par essence, serveur ou démocrate ou alcoolique ; ce sont des rôles qu'il peut *choisir* de jouer, et non pas des caractéristiques innées qu'il ne peut dépasser. Par exemple, un homme authentique ne peut pas affirmer de bonne foi : « Je bois deux verres de scotch au déjeuner, parce que je suis comme

---

1. William Shakespeare, *Hamlet*, acte I, scène III.

ça, c'est tout. » Il se traiterait alors comme un objet aux caractéristiques immuables, et n'existerait plus comme sujet doué de la capacité de choisir qui il est et ses actions.

Pour moi, le plus important ici, c'est la mise en garde de Sartre contre le fait de se considérer soi-même comme un objet. C'est un des rares principes de philosophie morale que je peux *ressentir* vraiment : me traiter comme un objet me fait me sentir moins vivant, un peu moins moi-même. Si, par exemple je traverse une de ces périodes où je suis convaincu de n'être *essentiellement* qu'une personne inconsidérée et qu'on ne peut rien y faire, je me sens non seulement abattu, mais je sens que, en niant ma capacité à changer, j'ai cessé de vivre complètement. D'un autre côté, il serait ridicule de ne pas accepter ce que je ne peux pas contrôler : je ne peux pas plus choisir d'être un jeune homme que d'être blond aux yeux bleus.

Pour résumer, la majeure partie d'entre nous veut être le plus responsable possible de sa vie : c'est fondamental pour se l'approprier. Je choisis, donc je suis ce que je suis. Ainsi, si une fois le troisième âge atteint, les années de séduction d'un homme sont loin derrière lui, est-il authentique pour lui de s'imprégner de testostérone pour qu'il puisse se sentir comme quelqu'un qu'il n'est pas – à savoir un jeune homme en rut ?

N'est-ce pas se transformer soi-même en objet, et en l'espèce en objet sexuel ?

Je suppose qu'un défenseur du patch de testostérone soutiendrait qu'un complément hormonal ne va pas le transformer en quelqu'un d'autre mais simplement apporter vigueur et vitalité à celui qu'il est encore, à la manière d'une boisson énergétique. À vrai dire, il pourrait aller jusqu'à affirmer que *choisir* d'être à nouveau en rut est un acte suprême d'autocréation, le zénith de l'authenticité.

C'est possible. Mais je pense toujours qu'il y a des étapes distinctes dans la vie, que chacune à ses qualités propres, et que trafiquer ces étapes revient à trafiquer la valeur inhérente de chacune d'elles. Il me semble plus intelligent de reconnaître que les désirs et les capacités de l'homme changent d'une période de la vie à une autre : le nier revient alors à passer à côté de ce que chacune d'elles a de plus épanouissant à offrir. Je ne vais pas aller auditionner au théâtre de mon quartier pour jouer le rôle de Lothaire, cela aurait à peu près autant de sens que de passer les sélections pour être batteur dans l'équipe de base-ball de ma ville… quand bien même je serais sous stéroïdes.

Alors, pourquoi le Viagra, oui, mais la testostérone, non ? J'admets que la distinction que j'établis a sans doute un côté arbitraire ; mais, généreux comme il l'est, Sartre nous a laissé le champ libre pour les distinctions arbitraires. Cependant, prendre du Viagra s'apparente à se faire soigner un os cassé, si je puis m'exprimer ainsi, tandis que le patch de testostérone semble plus interférer avec ce qui fait qu'un homme est ce qu'il est à ce moment précis de sa vie. Sa libido n'est pas cassée, mais bien morte de sa belle mort. « Vouloir vouloir » quelque chose dont il ne veut au fond pas tant que ça, et dans sa huitième décennie, rien que ça, me semble tout simplement artificiel ; il n'est pas fidèle à lui-même.

Je ne sais que penser de mon amie de soixante-huit ans qui s'est fait poser des implants mammaires. Dieu sait pourtant que son chirurgien a fait un travail splendide… Cette amie m'a confié qu'elle se sentait plus jeune et plus attirante que jamais, deux sensations qui la rendent vraiment heureuse. Et il est toujours difficile de remettre en cause le bonheur.

Le déni existentiel

Ces histoires de patch de testostérone et d'implants mammaires sont plus qu'une simple expression du credo « jeune à jamais ». Elles sont un symbole de tout ce qui constitue le déni de la vieillesse.

Pour les existentialistes, comme pour la plupart des psychothérapeutes contemporains, il n'y a rien de plus fatal que le déni de la vérité de ce que sont nos vies. On dit qu'une personne qui vit dans le déni ne vit pas vraiment, comme les habitants ignares de la caverne de Platon, qui confondent les ombres sur les murs de la caverne avec la réalité, tandis que les choses de la vie – parfois difficiles à accepter – sont brillamment éclairées juste à l'entrée de la caverne.

Søren Kierkegaard, considéré comme le père de l'existentialisme, affirmait que le plus grand déni de l'homme était la négation de sa mortalité. Nous construisons diverses stratégies niant la mort pour éviter d'avoir à nous confronter à sa réalité. Certains croient à une vie éternelle après la mort, d'autres se convainquent que l'on « continuera de vivre » d'une façon ou d'une autre, par exemple à travers le recueil de poèmes intimes récemment terminé. Nous agissons ainsi pour une raison tout à fait compréhensible : l'idée que nous allons mourir un jour, que nous ne vivrons plus jamais, nous terrifie. Mais Kierkegaard affirme que refuser cette réalité, c'est ne pas vivre pleinement et authentiquement la seule vie qui nous a été donnée : c'est préférer marcher à tâtons dans une caverne d'illusions.

Au milieu du XXᵉ siècle, l'anthropologue Ernest Becker a approfondi la thèse de Kierkegaard dans son ouvrage, lauréat du prix Pulitzer, *Le Déni de la mort*. Becker a ajouté une dimension psychologique et culturelle au déni de la mort, en le considérant comme un instinct de survie primaire du genre humain. Sans cette illusion, argumente-t-il, la civilisation sombrerait dans le désespoir. Becker est convaincu que, à cette époque de la raison, quand nos croyances religieuses ne tiennent plus qu'à un fil, nos tentatives ratées de contrôler la mort sont la cause profonde de l'essor actuel des maladies mentales.

Nier que nous sommes vieux n'est certainement pas comparable, si l'on devait faire un classement, à la négation de notre mortalité. Pourtant, les deux sont clairement liés. Selon une étude récente, une bonne moitié des Américains ne croit *pas* à la vie après la mort, ni à une quelconque autre forme d'immortalité. Le pourcentage de ces non-croyants augmente de façon significative parmi les populations les plus riches et les plus éduquées. Quoi qu'il en soit, une grande partie des « jeunes à jamais » semble nier que leur date d'expiration arrive à grands pas. Ils font des calculs plus que farfelus quand il s'agit d'estimer ce qu'il leur reste à vivre. Ils se disent qu'ils ont plein de temps pour rester jeune, à ce stade du « jeune qui en veut » de la vie.

Mais ça ne fonctionne pas comme ça. Parce que, dès lors, nous allons directement du stade

« jeune à jamais » à celui du « grand grand âge » et passons ainsi à côté de la chance de devenir un vieil homme épanoui qui « comme dans un port, a ancré ceux des biens qu'il avait auparavant espérés dans l'incertitude, les ayant mis à l'abri par le moyen de la gratitude ». Nous perdons à jamais ce qu'Épicure considère, et je commence moi aussi à le penser, comme le zénith de la vie.

Kierkegaard et Becker estimaient sans doute que le déni de la vieillesse n'était qu'une forme cachée de déni de la mort. Après tout, le stade de vie du vieil homme est le *dernier* stade – si l'on ne compte pas celui du « grand grand âge », quand nous ne sommes plus qu'à peine en vie. En niant la vieillesse, il est facile d'oublier que nous sommes en réalité au dernier stade de notre vie.

Par conséquent, opter pour le chemin du « jeune à jamais » se révèle finalement être une stratégie rusée de déni de la mort : notre instinct de survie nous dit que renoncer à la vieillesse permettra peut-être à notre conscience d'oublier notre mortalité. Oui, l'injonction de Kierkegaard d'accepter notre mortalité s'adresse aux gens de tous âges, mais les « jeunes à jamais », tout comme les véritables jeunes, sont convaincus qu'ils auront pleinement le temps d'y penser… plus tard.

Frank Sinatra et la mélancolie

Le vent chaud semble être retombé, mais Tasso et ses camarades parlent toujours de leurs amours passées. L'effervescence provoquée par l'apparition d'Elena en haut des marches de pierre a laissé place à une atmosphère plus lyrique, et à quelque chose de doux-amer.

Même jeune, Francis Albert Sinatra, « la Voix », avait ce don unique pour exprimer avec mélancolie les joies et les tristesses des amours passées. Il savait dire cette forme ultime de nostalgie, une nostalgie qui mérite qu'on s'y intéresse quelques instants. Comme les grands interprètes européens de son époque – Jacques Brel, Édith Piaf, Gilbert Bécaud –, Sinatra était habité quand il chantait. Cela devint encore plus vrai avec le temps. Plus Sinatra vieillissait, plus sa voix devenait rugueuse, plus le public était convaincu qu'il chantait d'expérience : à n'en pas douter, le crooner savait de quoi il parlait.

Je repense à cette chanson, *Once Upon a Time* (signée Lee Adams et Charles Strouse), qui figure sur l'album « vintage » de Sinatra, *September of My Years* …

« Il fut un temps,
Où une fille aux yeux clair de lune
À mis sa main dans la mienne,
Et m'a dit qu'elle m'aimait elle aussi,
Mais c'était un temps,
Il y a de ça fort longtemps. »

La chanson se termine ainsi :

« Il fut un temps
Où le monde était plus doux que maintenant,
Où tout nous appartenait,
Que nous étions alors heureux,
Mais il y a parfois des temps,
Qui ne reviennent jamais. »

Vous trouvez les paroles sentimentales ? Vous avez raison ! Mais je n'ai jamais fait partie de ceux qui pensent que la philosophie et les senti-ments – voire le sentimentalisme – ne peuvent aller de pair. À vrai dire, c'est en raison de la séparation des émotions humaines ordinaires d'avec la philosophie que la majeure partie de la philosophie contemporaine enseignée dans les universités nous semble sans intérêt.

Sinatra partage avec nous le souvenir d'avoir été un jeune homme amoureux et plein d'espoir, le ressenti de ce souvenir. Il revit ses sentiments d'alors, et Dieu sait qu'ils étaient merveilleux ! Cependant, le vieil homme semble soulagé de comprendre que tout cela appartient désormais au passé, que cela ne fait plus partie du présent. Ce qu'il en reste, à savoir le souvenir d'un amour jeune vu au travers du filtre de l'expérience, se suffit à lui-même. Le chanteur nous rappelle que nous avons traversé cette période d'émotions intenses, parfois orageuses, et que nos vies n'en sont que plus riches. Ce n'est pas rien d'avoir vécu ces amours splendides et ces peines de cœur atroces, et d'être toujours là.

Quand Sinatra chante « Mais il y a parfois des temps qui ne reviennent jamais », il réussit à exprimer deux choses à la fois : la tristesse du fait que cette époque révolue ne reviendra plus jamais, et aussi un certain soulagement à cette idée. C'est comme s'il affirmait : « Cette époque était incroyable, mais je ne crois pas que je serais capable de supporter ce genre de relations orageuses aujourd'hui – d'ailleurs, je ne crois même pas en avoir envie. » Et c'est ainsi qu'il souligne clairement sa mortalité : il y a, en effet, des temps qui ne reviennent *jamais*.

Si Kierkegaard nous enjoint de regarder la mort dans les yeux en tremblant de peur, Sinatra nous propose de la saluer avec mélancolie en essayant d'éprouver le plaisir nostalgique au souvenir de la douceur de notre jeunesse. Je ne suis pas convaincu que la reconnaissance de sa mortalité par Kierkegaard soit plus profonde que celle de Sinatra.

Les plaisirs romantiques réservés à la vieillesse

Nous retrouvons la même douce amertume, la même conscience poétique de la vieillesse quand Sinatra chante ce classique d'Alec Wilder et de Bill Engvick, *I See it Now*.

« Le monde que je connaissais n'est désormais plus le mien
Les amours sont venues et parties
Les années défilent
Je vis du mieux que je peux
Et je sais que tout ça fait de moi un homme
Je le vois désormais
Je le vois désormais. »

« Tout ça fait de moi un homme » : l'accumulation d'expériences tumultueuses et l'opportunité d'y repenser avec à la fois émerveillement et gratitude.

Et dans la ballade de Gordon Jenkins, *This Is All I Ask*, Sinatra nous livre sa vision de crooner vieillissant de l'idée de Platon du « calme et de la liberté lorsque les passions ont lâché prise » :

« Belles jeunes filles
Marchez un peu plus lentement
Quand vous passez à côté de moi.
Et vous, crépuscules persistants,
Restez un peu plus longtemps
Sur la mer abandonnée. »

Tout comme Tasso et ses camarades, Sinatra est toujours aussi fasciné quand il voit une belle femme ; mais il peut désormais apprécier sa beauté de façon plus pure, plus esthétique, qu'il ne pouvait le faire dans sa jeunesse, parce que cette beauté n'exige rien de lui. Il ne se sent pas obligé d'aborder la belle femme, d'essayer de la séduire. D'abord, parce que ce n'est plus une option pour lui – eh oui ! il y a quelque chose d'inéluctablement triste à cela –, ensuite parce que le simple fait d'admirer en toute liberté la beauté qui s'offre à lui est un plaisir d'un raffinement absolu, un plaisir réservé à son grand âge. Il n'en demande pas plus.

Les satisfactions d'être marié quand on est vieux

Ni Épicure ni Platon n'ont consacré une grande partie de leur réflexion au mariage. Il était nécessaire pour la procréation, une chose bonne et naturelle ; mais au-delà de ça, ces philosophes ne semblent pas avoir porté un intérêt particulier à ce sujet. Aristote, le disciple de Platon, est même allé jusqu'à affirmer que seuls les hommes et les femmes « susceptibles d'avoir des enfants ensemble » devraient être autorisés à s'unir légalement – on peut se demander comment Aristote aurait déterminé cette « susceptibilité » ; après tout, nous venons tous d'une lignée d'ancêtres fertiles. Mais il s'agissait d'une autre époque… Et n'oublions pas que Platon, comme nombre de ses contemporains, semblait préférer les relations sexuelles du même sexe à celles entre homme et femme ; et le mariage homosexuel n'étant pas une option à l'époque, cela a sans doute limité sa réflexion philosophique sur les liens du mariage.

Néanmoins, même si Aristote fait prévaloir l'utile sur l'agréable dans sa vision du mariage, il apprécie de toute évidence la compagnie que celui-ci offre, une qualité qui prend de plus en plus d'importance à mesure qu'un couple vieillit. Aristote écrit : « L'affection entre mari et femme est évidemment un effet direct de la nature. L'homme est par sa nature plus porté encore à s'unir deux à deux qu'à s'unir à ses semblables par l'association politique. La famille est antérieure à l'État, et elle est encore plus nécessaire que lui[1]. »

D'un autre côté, Aristote avait apparemment une dent contre les vieux. Dans le livre 2 de sa *Rhétorique*, il écrit à leur propos : « Ils n'aiment ni ne haïssent avec une grande force, pour la même raison ; mais, suivant la maxime de Bias, ils aiment comme s'ils devaient haïr un jour et haïssent comme si, plus tard, ils devaient aimer. » On dit qu'Aristote a eu une relation affectueuse avec sa seconde femme – la première était décédée – bien au-delà de ses soixante ans, un âge très avancé à cette époque. Mais on ne peut s'empêcher de se demander quelle influence pouvait avoir sur son foyer sa conception paradoxale de l'amour-haine.

Les philosophes qui l'ont suivi avaient, eux, énormément à dire sur les avantages et les inconvénients du mariage, même si peu ont évoqué les unions qui atteignaient le stade de la vieillesse. Les grands philosophes chrétiens considéraient le mariage plus comme un sacrement que comme un mode d'organisation sociale, même si ce sacrement était pour eux

_____

1. *Éthique à Nicomaque*, VIII, 12.

la seule façon acceptable d'encadrer le désir sexuel d'une personne. Saint Augustin a ainsi écrit : « Même avec la femme légitime, l'acte conjugal devient illicite et honteux dès lors que la conception de l'enfant y est évitée. » En résumé, si vous ne pouvez pas vous contrôler, mariez-vous, mais par pitié n'y prenez surtout aucun plaisir.

Depuis saint Augustin, de nombreux philosophes se sont interrogés sur le mariage, principalement en tant que contrat social parmi tant d'autres, dans un état qui fonctionnerait. Dans sa *Métaphysique des mœurs*, Kant tente de réconcilier son impératif de ne pas traiter les autres comme des objets quand deux personnes s'unissent par les liens du mariage : « Tandis qu'une personne est acquise par l'autre comme une chose, la première acquiert aussi l'autre à son tour, réciproquement ; en effet, elle se reconquiert ainsi elle-même et rétablit sa personnalité[1]. » C'est une sorte d'argument « œil pour œil, dent pour dent ». Et, bien sûr, les philosophes féministes contemporaines se sont focalisées sur le mariage comme moyen fondamental pour les hommes de limiter la liberté des femmes. La féministe Shulamith Firestone va

---

1. *Métaphysique des mœurs*. Première partie, « Doctrine du droit ».

jusqu'à affirmer que les femmes feraient mieux d'opter pour la polygamie ou le séparatisme lesbien.

À ma grande surprise, le commentaire le plus pertinent sur un long mariage vient du philosophe radical allemand Friedrich Nietzsche, qui, avec un pragmatisme qu'on ne lui connaissait pas, écrit : « Au moment du mariage, on doit se poser cette question : Crois-tu bien pouvoir t'entretenir avec cette femme jusqu'à la vieillesse ? Tout le reste du mariage est transitoire. »

Qui aurait cru que ce vieux nihiliste de Nietzsche était, au fond, un excellent conseiller conjugal ?

Je sais par une conversation intime avec Tasso qu'il a toujours adoré être marié. À l'âge qu'il a aujourd'hui, il apprécie encore plus la compagnie que lui offre son mariage. Bien que nous nous soyons tous les deux mariés relativement tard, nous sommes tous deux mariés depuis longtemps. Et nous sommes d'accord pour dire qu'un long mariage est l'un des plus grands réconforts de la vieillesse, notamment parce que la durée du mariage accroît le nombre de souvenirs partagés avec l'autre.

Sur la terrasse de Dimitri, Tasso raconte désormais sa rencontre avec Sophia, sa femme depuis quarante-deux ans et la mère de ses trois enfants. Il dit que le soleil la suivait comme un projecteur tandis qu'elle passait devant lui sur l'avenue Konstantinoupoleos au moment où il sortait de son bureau. Il raconte à ses amis qu'il lui arrive souvent, quand il regarde Sophia au petit déjeuner, de voir cette belle jeune femme descendre l'avenue Konstantinoupoleos.

Allez, chante encore, Frankie !

« Et celui qui dit que le temps de philosopher n'est pas encore venu, ou que ce temps est passé, est pareil à celui qui dit, en parlant du bonheur, que le temps n'est pas venu ou qu'il n'est plus là. »

Épicure

Chapitre cinq

Les tintinnabulements des cloches des moutons

SE DÉTENDRE AVEC LA MÉTAPHYSIQUE

Un sac de livres jeté sur mon épaule, je remonte le vieux chemin de montagne qui conduit au village de Vlihos, à quelques kilomètres à l'ouest de Kamini où je réside. À vingt-cinq ans, lors de mon premier séjour sur l'île, je parcourais cette distance en un quart d'heure. Aujourd'hui, en comptant mes pauses pour me reposer, le trajet me prend presque une heure. Je suppose que le pas vif de ma jeunesse était plus vigoureux que ma lenteur d'aujourd'hui. Quand j'étais jeune, tout ce que je faisais avait un caractère d'urgence – l'urgence générale de la jeunesse. J'imagine un « jeune à jamais » me dépasser en courant dans un survêtement de son ancienne université, plein de vigueur juvénile, ou du moins *d'apparence* juvénile. Il arriverait sans aucun doute à

Vlihos avant moi. Mais aujourd'hui je ne suis pas pressé. Je suis un vieil homme qui traînasse, et j'en suis ravi.

Lors de la seconde pause de mon parcours, je m'installe sur un bloc de granit offrant une vue panoramique sur la vallée verdoyante où des moutons paissent paisiblement. J'entends désormais le lointain tintinnabulement de leurs cloches, un plain-chant d'un autre temps. Quelques secondes passent, et un autre son se joint à celui des cloches, un éclat disséminé, plus strident, plus aigu sur la gamme des notes, comme un morceau de flûte dans une pastorale de Vaughan Williams. C'est l'appel insistant d'un oiseau migrateur bavard. Un chien aboie quelque part dans Kamini, et le braiment d'un âne lui répond aussitôt depuis la montagne derrière moi – comme si les cuivres entraient en scène. Je pose mon sac par terre, m'allume une cigarette, et j'écoute.

Oui, je fume – de manière éhontée. Chez moi, aux États-Unis, je dois endurer regards et commentaires insultants dès que j'allume une cigarette. Ce n'est pas seulement le fléau du tabagisme passif qui offusque les gens, mais ce qu'ils considèrent comme de l'autodestruction. Ils ont raison, bien sûr : fumer est sans aucun doute mauvais pour ma santé et raccourcira probablement ma vie. Comme pour me justifier, je leur réponds souvent : « Hé, je suis trop vieux pour mourir jeune. »

Ce n'est pas la plus brillante des reparties, mais elle a du sens pour moi. Comme de nombreux hommes de mon âge, je jette régulièrement un œil sur la rubrique nécrologique pour voir à quel âge meurent les gens de nos jours. Le plus souvent ils ont entre soixante-dix et quatre-vingt-dix ans, et ont succombé à « une longue maladie ». Quand une personne meurt à cinquante ans ou plus jeune, on parle parfois de « mort prématurée ». Et si je suis alors d'humeur kierkegaardienne, l'expression me fait grimacer : toutes les morts sont prématurées à l'échelle de l'immortalité, l'âge exact de la mort n'est qu'un détail.

Néanmoins, plus jeune, disons quand j'avais cinquante ans, il m'arrivait de trembler en parcourant la rubrique des décès, à l'idée qu'il ne me restait probablement qu'une vingtaine d'années à vivre. Et, parce que les nécrologies sont en général consacrées à d'illustres personnes, il m'arrivait même de paniquer : je n'avais plus qu'une vingtaine d'années pour devenir quelqu'un !

Aujourd'hui, à ma grande surprise, quand, à soixante-treize ans, je découvre le décès d'un homme de soixante-quinze ans par exemple, cela me réconforte. J'ai vécu jusqu'à un âge respectable. J'ai eu le privilège de vivre une vie entière, de connaître tous ses stades (à part, bien évidemment, le « grand grand âge », qu'il ne me dérangerait pas de sauter). Désormais, quand je lis les nécrologies, la maxime d'Épicure affirmant que la plus heureuse des vies est celle qui s'est libérée des exigences du monde commercial et des affaires politiques qu'un homme s'impose lui-même, me frappe à nouveau. « Le maître-passion » de la « réussite de sa vie » m'a enfin libéré. Je peux savourer le privilège d'avoir vécu vieux. Je suis trop vieux pour mourir jeune.

Le mot « privilège » éveille en moi un écho particulier. Alors que mon beau-père, Jan Vuijst, un pasteur réformé néerlandais, gisait sur son lit de mort, nous avons eu une conversation très intime – qui fut la dernière. Ce jour-là il m'a dit : « C'est un privilège d'avoir vécu. » L'émouvante gratitude de sa déclaration m'a marqué à jamais.

La sottise de nier le plaisir de la vieillesse

Fumer me procure du plaisir, voire, dans des moments comme celui-ci, perché sur mon bloc de granit sur le chemin de Vlihos, un *immense* plaisir. Puisque nous parlons de ça, il en va de même avec un cheeseburger frites et de la mayonnaise pour accompagner ces dernières. Il ne fait aucun doute que ces plaisirs sont mauvais pour ma santé – très mauvais. Il ne fait également aucun doute que c'est la raison même pour laquelle un « jeune à jamais » fuit ces plaisirs : il se contraint à une bonne hygiène de vie, surtout lorsqu'il a dépassé les soixante-dix ans. Oui, je peux facilement l'imaginer me dépasser en courant et j'admets volontiers qu'il prend probablement du plaisir à courir, notamment grâce à l'impression de vigueur juvénile que cela lui procure. Chacun son truc. Mais je suis obligé de le reconnaître : j'apprécie vraiment cette cigarette !

On pourra m'accuser de faire moi-même des calculs douteux, mais je ne peux m'empêcher de me demander si l'hygiène de vie scrupuleuse du « jeune à jamais » et les privations qu'elle implique augmenteront le nombre d'années de sa vigoureuse vieillesse ou ne feront que prolonger l'impitoyable déclin de son « grand grand âge ». Impossible à dire. Mais je dois tout de même m'interroger : à combien de plaisirs suis-je prêt à renoncer, lesquels ne plus jamais savourer, au nom de la longévité ? Si je n'en profite pas maintenant, alors quand ? Dans l'aile des soins intensifs d'une maison de retraite décrépie ?

Laissez-moi vous raconter une vieille blague un peu nulle. Un vieil homme et sa femme morts dans un accident d'avion arrivent au paradis. Un ange les accueille et leur fait faire le tour du propriétaire. L'homme commence à avoir faim et demande si on peut leur donner quelque chose à manger. L'ange montre du doigt un somptueux buffet couvert de pâtés, de fromages, de côtes de bœuf et de desserts crémeux : « Bien sûr ! Servez-vous. Vous pouvez manger autant que vous voulez. Vous n'avez aucun souci à vous faire pour votre santé. » Tandis qu'ils se dirigent vers le buffet, le mari se retourne vers sa femme et lui dit : « Tu sais, Gladys, si tu ne m'avais pas obligé à manger ces céréales complètes tous les matins, j'aurais pu arriver ici il y a dix ans déjà ! »

En modifiant un ou deux points, cette blague pourrait être l'illustration parfaite des plaisirs dont on peut profiter vieux au lieu d'attendre d'être au paradis.

De la modération en toute chose

Un des thèmes majeurs de l'*Éthique à Nicomaque* d'Aristote est la vertu de la modération en toute chose, le pont d'or entre l'excès et l'insuffisance. Aristote prend le courage comme exemple : trop de courage engendre l'imprudence, et pas assez, la lâcheté. Il faut trouver le juste milieu, nous dit-il, ce qui rendra somme toute la vie meilleure. J'aime particulièrement cette idée d'Aristote d'un lieu entre la vertu du comportement humain et l'idéal esthétique : il y a quelque chose de plaisant et de beau dans un comportement modéré, tout comme il y a quelque chose de plaisant et de beau dans un objet artistiquement proportionné comme un triangle isocèle ou une œuvre architecturale parfaitement dessinée. La beauté est équilibre, et l'équilibre est beauté.

Comme Épicure, Aristote a lui aussi une influence sur les Grecs d'aujourd'hui. Nombre d'entre eux mangent des viandes grasses, boivent de l'alcool et fument des cigarettes, mais la majeure partie savoure ces plaisirs avec modération. Oui, ils fument peut-être une cigarette ou deux après un bon repas, mais ils ne tirent pas anxieusement sur leurs filtres toute la journée. Ils ne s'inscrivent pas non plus à des coachings stressants pour modifier leur comportement et arrêter de fumer une fois pour toutes. Il n'est pas étonnant que les Grecs soient l'une des populations qui vivent le plus longtemps aujourd'hui, mais ce n'est pas seulement grâce à l'huile d'olive et au « régime crétois ».

Réfléchir aux questions transcendantales

Je suis désormais seul sous l'auvent de l'unique taverne de Vlihos. Aujourd'hui, j'ai envie de lire et de réfléchir un peu à des idées philosophiques qui m'ont toujours échappé.

Non seulement le vieil homme a le bon âge pour passer sa vie en revue, mais en plus il se trouve à un moment idéal pour réfléchir au « sens de tout cela », à ces questions qui lui brûlaient les lèvres quand il était jeune mais qu'il a laissées de côté parce qu'il avait dû se retrousser les manches pour gagner sa vie. (Pour paraphraser John Lennon, la vie c'est ce qui vous arrive quand vous êtes en train de philosopher sur son sens[1].) Aujourd'hui, ces questions ont à nouveau un sens ; elles semblent même plus cruciales que jamais.

Malgré sa négativité concernant l'homme âgé, Aristote affirme que l'éducation est la meilleure prévoyance vieillesse. Que veut-il dire par là ? C'est qu'avoir de bons outils pour penser, et penser philosophiquement, nous prépare à notre vocation principale d'une vieillesse bien vécue : réfléchir aux grandes questions.

Il me faut prendre un peu de recul pour réfléchir à ces questions. Parfois, je crois que mon impulsion philosophique primaire, tous ces « À quoi sert tout ça ? » qui bouillonnent dans mon esprit ont été anéantis par mon étude

---

1. « La vie, c'est ce qui arrive quand on a d'autres projets. » John Lennon, dans la chanson *Beautiful Boy*.

académique de la philosophie. J'ai trop souvent été trop préoccupé par les concepts abscons et entêtants des grands philosophes, et j'ai perdu l'émerveillement qui m'avait poussé au départ à les lire. Je dois me souvenir que, pour se lancer dans la philosophie, on n'a besoin de rien d'autre que de son intuition, celle qui nous dit qu'une vie irréfléchie ne pourra jamais pleinement nous satisfaire.

Prendre des risques philosophiques

Dans la comédie *Sans plus attendre*, deux hommes âgés en phase terminale font la liste de toutes les expériences qu'ils veulent vivre avant de mourir puis se lancent dans leur réalisation. En tête de cette liste : sauter en parachute, escalader les pyramides, faire un safari en Afrique et, pour l'un d'eux, prendre rendez-vous avec une prostituée de luxe. L'idée est qu'ils n'ont plus rien à perdre à cette étape de leur vie, plus rien à craindre : alors, pourquoi ne pas foncer ? Personnellement, je pourrais très bien, sans avoir vécu aucune de ces expériences, me faire enterrer sans regret. Mais leur esprit aventureux me parle. Comme eux, aujourd'hui je n'ai rien à perdre, ni à craindre, à prendre des risques philosophiques.

Quand Épicure affirme que nos esprits se libèrent comme jamais au grand âge, grâce à l'« absence de peur du futur », il dit entre les lignes que nous pouvons désormais prendre des risques intellectuels qui nous paraissaient bien trop effrayants lorsque nous étions jeunes. Et prendre des risques philosophiques – ceux que Camus nous défie par exemple de prendre quand il écrit dans *Le Mythe de Sisyphe* qu'« il n'y a qu'un problème philosophique vraiment sérieux : le suicide » – est presque aussi terrifiant que de sauter d'un avion, accroché à un frêle morceau de tissu. Quand on y réfléchit, ces risques sont assez similaires : ils exigent tous deux de regarder la mort en face. Kierkegaard non plus ne nous ménage pas lorsqu'il nous défie de prendre des risques philosophiques et spirituels : « Oser, c'est perdre l'équilibre un instant. Ne pas oser, c'est se perdre soi-même. »

Oser avoir des idées qui ne semblent pas logiques

À la taverne de Vlihos, au milieu d'autres personnes, je sors de ma besace l'*Introduction à la métaphysique* d'Heidegger, le volume qui s'ouvre sur le fameux « Pourquoi donc y a-t-il l'étant et non pas plutôt rien ? ».

Qu'est-ce qui a bien pu me pousser à emporter ce pavé jusqu'au village de cette île isolée, de l'autre côté de l'Atlantique ? Sans doute les pensées inévitables de mortalité qui planent au-dessus de moi. La question d'Heidegger semble dépasser les simples début et fin de la vie d'un individu – moi, par exemple – pour s'étendre au fait *d'être* en tant que tel. Qu'est-ce que tout ça signifie ?

J'ai cette intuition tenace d'avoir passé les cinquante dernières années à considérer la question d'Heidegger comme une fadaise absolue sans jamais y avoir vraiment réfléchi. Martin Heidegger est un existentialiste allemand du XXe siècle qui s'est intéressé – si l'on peut parler « d'intérêt » quand il s'agit de centaines de pages d'une prose dense et énigmatique – au concept de l'existence. Aussi bien que je saisisse sa question, je ne crois pas qu'il se demande pourquoi certaines choses existent et d'autres non, ni même ce qui cause l'existence ou la constitue. Non, il est à la recherche de quelque chose de bien plus « grand ». Heidegger nous demande de nous confronter à l'idée qui remet en question l'existence elle-même, car telle est, selon lui, la question philosophique suprême. Il écrit : « Philosopher, c'est demander "Pourquoi donc y a-t-il l'étant et non pas plutôt rien ?" Questionner véritablement ainsi, cela signifie :

courir le risque de questionner jusqu'au bout, d'épuiser l'inépuisable de cette question, par le dévoilement de ce qu'elle exige de demander. Là où quelque chose de ce genre " pro-vient " (*geschieht*), il y a philosophie. »

J'ai besoin d'un verre de retsina.

En Grèce, il est d'usage de frapper fort dans ses mains pour appeler le serveur. J'ai toujours du mal à m'y faire : je trouve ça assez odieux, c'est comme donner un ordre à un esclave. Non pas que les serveurs grecs aient l'air de s'en offusquer : pour tout dire, ça leur permet de s'asseoir et de boire de leur côté plutôt que d'errer constamment pour voir si un client a besoin de quoi que ce soit ou demander, comme les serveurs américains : « Vous *travaillez* toujours sur votre assiette ? » Je frappe dans mes mains et commande un pichet du meilleur cru de la maison. J'en avale quelques généreuses gorgées et me penche à nouveau sur la question fondamentale d'Heidegger.

Je suis alors frappé par deux nuances qui m'avaient échappé... Heidegger affirme que la question est « inépuisable ». D'abord, il nous dit qu'elle est le fondement de toute philosophie, puis que de toute façon nous ne pourrons jamais la résoudre. Il y a quelque chose de pervers à cela.

Mais qu'entend-il par « courir le risque de questionner jusqu'au bout » ? Heidegger suggère-t-il que le simple fait de soulever la question, de débattre de l'idée même que l'étant peut être sujet au doute, est une fin en soi ? Je me souviens de la remarque d'Aristote : « C'est la marque d'un esprit cultivé qu'être capable de nourrir une pensée sans la cautionner pour autant. » Cela s'applique-t-il également au fait de nourrir une question qui n'a probablement pas de réponse concevable ?

Durant mes études universitaires, la question d'Heidegger me faisait ricaner d'un air suffisant. À cette époque, dans les années 1950-1960, nous étions tous fascinés par une école de philosophie connue sous le nom de positivisme logique et par sa petite sœur, la linguistique. Des philosophes comme Bertrand Russell, le jeune Ludwig Wittgenstein et A.J. Ayer ont décidé d'analyser les grands concepts de la métaphysique et de l'éthique au travers d'un prisme logique, mathématique et scientifique. Ils les ont, dès lors, trouvé limités. Les notions de bien et de mal ? N'importe quoi ! Elles n'ont aucun fondement rationnel, donc autant les oublier. Nous devons considérer seulement les questions dont le fond est logique et qui ont des solutions potentielles.

Heidegger n'a bien entendu pas été épargné, à commencer par le « pourquoi » de sa question métaphysique fondamentale. Le positiviste Paul Edwards affirmait qu'Heidegger violait « une grammaire logique » avec le mot « pourquoi », rendant ainsi sa question dénuée de sens. Fin de la discussion.

Mais mon esprit d'étudiant a disparu depuis fort longtemps. Le vieil homme que je suis est, d'une certaine façon, capable de nourrir des idées qui violent cette soi-disant logique grammaticale. Bien sûr, il est possible que cela soit dû au fait que mon esprit n'est plus aussi aiguisé qu'auparavant. Nous savons que ce genre de choses arrive. D'un autre côté, ma vieillesse semble me permettre de temps en temps d'envisager des idées qui paraissent transcender la logique. J'*ose* considérer des idées illogiques. Donc, en tout cas pour l'instant, je vais laisser un peu Heidegger.

La conscience altérée

Les rayons de soleil de l'après-midi viennent d'atteindre l'endroit où je me cachais sous l'auvent de la taverne. Ils m'éblouissent mais je fixe le soleil quelques secondes dans l'espoir qu'il illumine mon esprit.

Quand j'étais enfant, mon frère se moquait de ma manie de m'allonger sur mon lit en fixant l'ampoule nue qui pendait du plafond de notre chambre. Qu'avais-je à dire pour ma défense ? Seulement que j'aimais la sensation que cela me procurait. Je crois que, d'une certaine façon, je « planais » pour la première fois.

Peu après mes études, mon ami Tom et moi avons essayé les drogues psychédéliques. C'était les années 1960, après tout. Mais je préfère me dire qu'il s'agissait plus de l'influence d'un de nos philosophes américains préférés du XIXᵉ siècle, le pragmatique William James que de celle de notre célèbre professeur Timothy Leary. James était fasciné par les états altérés de la conscience et considérait le protoxyde d'azote (plus connu sous le nom de gaz hilarant), sa drogue de prédilection, comme rien de moins qu'une porte vers l'absolu hégélien, la vérité ultime. Dans *Les Formes multiples de l'expérience religieuse*, James écrit : « La sobriété restreint, distingue et dit non, tandis que l'ivresse élargit, réunit et dit oui. »

Tom et moi recherchions ce « oui » ultime. Nous n'étions pas contre un bon coup d'œil à l'absolu hégélien non plus. Hélas, il n'en fut rien. En tout cas, si l'un de nous a pu entrevoir quoi que ce soit de significatif dans ce monde lointain du oui, il a été incapable de le rapporter avec lui en revenant dans la réalité.

Désormais, les yeux rivés sur le soleil égéen, je sens un chatouillement dans mon cerveau.

La retsina y est sûrement pour quelque chose. « Pourquoi donc y a-t-il l'étant et non pas plutôt rien ? » Folle question. À quoi ressemblerait le rien ? Et si la somme de tout avait zéro pour total ? L'idée même de considérer la non-existence laisse pantois. Cela va bien au-delà de l'idée de la mortalité de l'homme : c'est se demander à quoi cela ressemblerait si rien ni personne ne pouvait mourir *de toute façon*. Et de façon encore plus frustrante, pourquoi cela ne s'est-il *pas* avéré être ainsi ?

Il est sans doute impossible de conceptualiser le néant immuable : c'est la limite de l'esprit. Je ne peux que me contenter de maladroitement soustraire l'idée du tout à l'univers entier. Mais l'idée d'un néant éternel auquel rien ne pourrait être ajouté m'échappe. Les positivistes avaient peut-être raison, après tout : la raison ne peut pas réfléchir à de telles idées, parce que c'est tout bonnement n'importe quoi.

Mais que se passe-t-il ? L'espace d'un instant, je ressens comme un soulagement, voire de la gratitude, à l'idée que l'étant *existe*. Je sens même un picotement, quelque chose qui pourrait s'apparenter à de l'émerveillement – l'émerveillement que l'étant ait miraculeusement triomphé du néant. Et que j'aie, de façon incroyable, fait partie de ce triomphe : j'ai eu le privilège d'être et d'avoir conscience de l'être.

Et le voilà, mon moment du oui ! Il ne dure qu'une minute et ce n'était pas un oui total, plus un frisson d'assentiment. Je comprends maintenant pourquoi je voulais être entouré de gens pour mon immersion philosophique du jour. Comme le « gardien » chargé de nous surveiller quand nous avions pris du LSD et de s'assurer que nous ne suivions pas notre « instinct » de pouvoir nous envoler par la fenêtre du troisième étage, les clients de la taverne de Vlihos sont mon ballast. Pour le pire ou le meilleur, ils m'empêchent de m'envoler si loin vers le oui, vers le royaume de l'abstraction philosophique, si déconcertant que je ne pourrais jamais en revenir. Je ne suis peut-être pas si audacieux que ça, après tout.

Néanmoins, je suis incroyablement satisfait de la petite balade de mon esprit. Je me sens plus riche, en partie parce que j'ai erré là où je n'avais pas osé m'aventurer quand j'étais jeune. Le vieil homme est plus serein face à la métaphysique.

« Le plus grand remède à la colère, c'est le temps. »

Épicure

Chapitre six

Le pensionnaire d'Iphigenia

LE STOÏCISME ET LE « GRAND GRAND ÂGE »

J'ai été pris en stop par un convoi d'ânes qui transportent des marchandises vers le monastère situé en haut de la colline qui surplombe le port d'Hydra. Tout comme Pavlos sur l'âne marchant en tête de file, je suis assis en amazone sur ma monture, une main fermement accrochée au pommeau de ma selle. Je suis sans doute trop vieux pour ce genre de choses, mais le moment est charmant. J'ai beau n'être qu'à un mètre de hauteur de plus que lorsque je remonte ce chemin de pierre à pied, la vue depuis mon âne est vraiment nouvelle : mon regard est désormais au même niveau que les fenêtres des maisons devant lesquelles nous passons et j'observe sans gêne leur intérieur, comme des dioramas de vie quotidienne.

À intervalles fréquents et sans jamais trébucher, les quatre ânes devant moi lâchent des bouses pleines d'herbe. Une nouvelle loi destinée à ménager les touristes sensibles requiert que les âniers s'arrêtent, ramassent les excréments et les déplacent à un endroit plus adéquat, mais Pavlos ne fait rien de tout ça. Il pense à l'horticulture. Comme récompense après leur journée de labeur, on donne à boire aux ânes une sorte d'infusion aux pétales de coquelicots. Une légende d'ici affirme que le lendemain un coquelicot naîtra de chaque bouse d'âne. Et en effet, les fleurs poussent presque dans chaque fissure du chemin. J'aime à penser qu'il s'agit d'une déférence naturelle de Pavlos pour le cycle de la vie.

Pavlos me laisse à mi-chemin de la colline. De là, je monte par un chemin étroit jusqu'à une immense villa du XIXe siècle, ayant un jour appartenu à un capitaine de navire et qui sert désormais de maison de retraite de l'île. C'est ici que travaille ma logeuse, Iphigenia. Ce matin, je me suis porté volontaire pour aller chercher le courrier à la poste du port et, voyant qu'Iphigenia a reçu la lettre tant attendue de sa fille qui vit en Australie, j'ai décidé de la lui apporter pour qu'elle n'ait pas à attendre la fin de la journée pour la lire. J'étais également curieux de voir cet endroit.

Un homme de quatre-vingts ou quatre-vingt-dix ans est assis sur un banc à côté de la porte du jardin de la villa, le menton posé sur ses mains croisées sur le pommeau de sa canne en bois. Je lui dis bonjour en grec, mais il ne me répond pas. Je le salue d'un léger mouvement de tête, comme le font si bien les Grecs, mais il ne répond pas plus.

La grille est ouverte, j'appelle Iphigenia. Elle arrive quelques secondes plus tard, rouge et surprise. Quand je lui tends la lettre de sa fille, elle semble ravie mais la range aussitôt dans la poche de son tablier, en disant qu'elle préfère la lire tranquillement après avoir fini de préparer le café de Spyros. D'un signe de tête, elle m'indique que Spyros est l'homme assis sur le banc.

– Les autres ne veulent pas de café ? je lui demande.

Iphigenia sourit.

– Spyros est le seul homme âgé à ne pas avoir de famille sur l'île, explique-t-elle.

Apparemment, les législateurs d'Athènes qui ont transformé ce palace en maison de retraite n'ont pas tenu compte du fait qu'aucun enfant hydriote digne de ce nom ne refuserait de prendre soin d'un parent vieillissant ni de le loger chez lui. Spyros est l'unique occupant de la villa.

En réalité, Spyros exige beaucoup d'attention. Il est sénile, incontinent et sujet à de nombreux épisodes de colère ou de dépression. Iphigenia fait de son mieux : elle ne quitte jamais la villa avant que Spyros ait dîné, pris son bain et se soit endormi.

Je ne peux m'empêcher de me demander combien de temps il me reste avant de devenir comme Spyros. La sénilité et l'incontinence, voilà ce qui nous attend au « grand grand âge ». C'est abominable. Comme l'a décrit Shakespeare dans les « sept âges » de la vie : « Enfin le septième et dernier âge vient clore cette histoire pleine d'étranges événements ; c'est la seconde enfance, état d'oubli profond où l'homme se retrouve sans dents, sans yeux, sans goût, sans rien[1]. »

La principale cause de dépression du « grand grand âge »

Dans l'enquête à faire froid dans le dos de Susan Jacoby sur la longévité croissante de notre époque, *Ne prononcer jamais le mot mourir*, nous découvrons ce que la médecine moderne, au prix de dépenses considérables, nous a

---

1. *Comme il vous plaira*, acte II, scène 7 (1599).

principalement fait gagner : des années sup-
plémentaires de décrépitude. Quand jadis une
crise cardiaque ou un infarctus à un âge avancé
avaient raison de nous, on nous pose désormais
des stents, on nous fait des pontages auxquels
on ajoute des kilos de médicaments qui, fonciè-
rement, ne semblent servir qu'à nous éloigner
du seuil de la mort. À première vue, tout cela
semble génial. Mais le résultat de l'allongement
de la durée de vie, c'est que nous sommes assail-
lis, durant ces années *bonus*, de maladies de plus
en plus fréquentes, comme Alzheimer ou Parkin-
son. Nos vessies ne résistent plus, nos membres
tremblent, nous sommes à deux doigts de l'état
végétatif. Emprisonnés dans nos cerveaux et nos
corps en ruine, nous nous isolons de tout ce, et
de tous ceux, que nous avons toujours connus.
La vie prolongée est la nouvelle mort.

La dépression gériatrique est une spécialité
florissante de la gériatrie. Les maisons de retraite
emploient désormais des psychiatres, des psychologues et des assistantes sociales pour gérer ce
problème exponentiel. Des revues spécialisées,
par exemple le *Journal of the American Geriatric
Society*, publient d'innombrables articles sur des
sujets tels que savoir lire l'échelle de la dépression gériatrique ou quels antidépresseurs sont
les plus efficaces auprès des « populations en
fin de vie ». Les psychiatres, bien évidemment,

donnent régulièrement leur avis sur les causes principales de ce type de dépression.

Les causes principales ? Je crois pouvoir donner un coup de main aux psychiatres sur cette question : c'est parce que le « grand grand âge », ça craint. C'est une horreur. La qualité de vie avoisine en général le degré zéro. Et s'il nous reste encore un tant soit peu de raison, nous savons que la situation ne fera qu'empirer. Il est donc difficile de considérer la dépression gériatrique comme un trouble mental. Il s'agit plutôt d'une réponse sincère et appropriée. Ces psychiatres-gérontologues auraient gavé d'Effexor le père de Dylan Thomas s'il avait suivi l'injonction de son fils, qui lui criait dans le fameux poème qu'il lui avait dédié : « Rage, enrage contre la mort de la lumière[1]. »

La rage et le stoïcisme

Dieu sait à quel point je peux enrager contre la mort de la lumière. L'idée même de m'effondrer lentement mais sûrement, avec la mort pour seul soulagement, ne fait pas que me terrifier, elle me met en colère. Ce n'est pas juste, rien de

---

1. « *Rage, rage against the dying of the light* », dans « *Do not go gentle into that good night* » (1951).

tout ça ne l'est. Et ce serait l'ultime récompense pour avoir vécu une vie longue et pleine ? Qui a décidé de ces règles ? Elles sont nulles, toutes, et je les déteste.

Mais que pourra-t-il résulter de ma rage ? Même si j'ai l'impression d'être absolument sincère lorsque je crie l'injustice de cette ultime farce de l'univers, ai-je vraiment envie de passer les années qui précédent mon « grand grand âge » à hurler ma fureur ? Les stoïciens, les Grecs comme les Romains, assurément me déconseilleraient vivement d'emprunter le chemin de la colère.

Le stoïcisme, fondé à Athènes par Zénon de Cition, peu avant qu'Épicure y réside lui-même, s'est répandu pendant plus de trois siècles, a atteint toutes les provinces de Grèce et de l'Empire romain, où des philosophes comme Sénèque et Marc-Aurèle ont affiné et développé ses principes fondamentaux. L'idée la plus constante de cette philosophie est que les hommes doivent se libérer de leurs passions et s'abandonner sans regret à l'inévitable, parce que s'attarder sur ce que nous ne pouvons contrôler n'apporte rien d'autre qu'une peine incommensurable.

Zénon se montre encore plus « zen » qu'Épicure dans sa recommandation d'un bonheur calme et réconfortant. Il prône un détachement complet face à nos désirs, quand Épicure, lui, propose de tracer différents chemins vers la satisfaction. Épictète, un Grec du Ier siècle, résume ainsi les avantages de la pratique du stoïcisme : « Montrez-moi un homme malade et heureux, en danger et heureux, mourant et heureux, exilé et heureux, discrédité et heureux. Montrez-le. J'ai le désir, par les dieux, de contempler un stoïcien[1]. »

Les stoïciens nous conseillaient donc de nous défaire de la cause même de notre rage contre les horreurs du « grand grand âge » en lui devenant *indifférent*. Après tout, on n'a de toute façon aucun moyen de le contrôler. Sans attente ni désir, nous ne connaîtrons aucune dépression gériatrique.

Je ne crois pas en être capable. Parfois, la pratique du stoïcisme s'apparente plus au déni de la douleur qu'à sa transcendance. Et en règle générale le déni ne m'a jamais semblé être une authentique façon de vivre. (Il arrive aussi que la pratique du stoïcisme ressemble à un jeu de l'esprit, un jeu dangereux qui reviendrait à se contenter de chanter sans cesse : *Don't worry, be happy*[2].) Mais une idée irréfutable que je retiendrai du stoïcisme est celle de me défaire des problèmes sur lesquels je n'ai aucune maî

---

1. *Entretiens*, tome II.
2. « Ne t'inquiète pas, sois heureux. »

trise. Se concentrer sur les horreurs du « grand grand âge » avant même de l'avoir atteint ne me mènera nulle part – essentiellement parce que ce serait perdre un temps précieux et limité.

Mettre fin à la vie avant qu'elle ne vaille plus rien

Il reste néanmoins une question qu'on ne peut éviter, concernant le « grand grand âge » : à partir de quel moment rester en vie n'a-t-il plus aucun sens ?

Mencius, disciple de Confucius, résume la situation de façon simple et éloquente : « Je veux la vie, je veux aussi le *yi* (souvent traduit par *sens*). Si je ne peux pas avoir les deux, je préfère le *yi* à la vie. D'un côté, j'ai beau vouloir la vie, il y a quelque chose que je veux encore plus. Voilà pourquoi je ne m'accroche pas à la vie à tout prix. De l'autre côté, si je déteste la mort, il y a quelque chose que je déteste encore plus. »

Sénèque, le stoïcien romain, mâche encore moins ses mots quand il écrit dans une de ses lettres au gouverneur de Sicile, Lucilius : « Nous y voyons recueil, insensés que nous sommes, et c'est le port, souvent désirable, jamais à fuir. Celui qui dès ses premiers ans s'y voit déposé n'a pas plus à se plaindre qu'un passager dont la traversée a été prompte. Car tantôt, tu le sais, la paresse des vents se joue de lui et le retient dans un calme indolent qui ennuie et qui lasse ; tantôt un souffle opiniâtre le porte avec une extrême vitesse à sa destination. Ainsi de nous, crois-moi : la vie a mené rapidement les uns au but où il faut bien qu'arrivent même les retardataires ; elle a miné et consumé lentement les autres ; et tu n'ignores pas qu'il ne faut point se cramponner à elle ; car ce n'est pas de vivre qui est désirable, c'est de vivre bien. Aussi le sage vit autant qu'il le doit, non autant qu'il le peut. […] Ce qui l'occupe, c'est quelle sera sa vie, jamais ce qu'elle durera. Est-il assailli de disgrâces qui bouleversent son repos, il quitte la place, et n'attend pas pour le faire que la nécessité soit extrême. […] On ne perd pas grand-chose à voir fuir tout d'un coup ce qui échappait goutte à goutte. Mourir plus tôt ou plus tard est indifférent ; bien ou mal mourir ne l'est pas. Or, bien mourir, c'est nous soustraire au danger de mal vivre[1]. »

Et comme préambule à sa recommandation d'en finir avec la vie avant qu'elle devienne intolérable, Monsieur Joie-de-vivre en personne, j'ai nommé Arthur Schopenhauer, écrit dans un

---

1. *Lettres à Lucilius*, LXX.

de ses essais sur le pessimisme : « Chacun n'en désire pas moins pour soi un âge avancé, c'est-à-dire un état que l'on pourrait exprimer ainsi : "Aujourd'hui est mauvais, et chaque jour sera plus mauvais, jusqu'à ce que le pire arrive." »

Personnellement, je trouve Mencius et Sénèque nettement plus pédagogues sur la question de savoir quand mettre fin à sa vie.

Il n'y a pas de *yi* dans la description du « grand grand âge » de Susan Jacoby. Voulons-nous vraiment nous accrocher à tout prix à la vie ? Est-ce que *je* le veux vraiment ?

La faisabilité d'en finir avec la vie au « grand grand âge »

Si pénibles soient-elles à entendre, les remarques de Mencius et de Sénèque sur le point au-delà duquel il vaut mieux mourir que continuer à vivre sont pleines de sens. Cependant, ces derniers ne donnent aucun conseil sur la question pratique, et pourtant fondamentale : comment savoir exactement quand nous avons atteint ce point ? Le timing est délicat. Il faut en finir *avant* de franchir la limite de la démence totale, sinon nous ne serons plus en état de prendre des décisions raisonnées. Cependant, avant de franchir cette dite limite, il nous reste probablement suffisamment de *gouttes*, comme disait Sénèque, pour que la vie vaille la peine d'être vécue.

Il va sans dire que le dilemme est moindre si l'on en est au stade où des appareils nous maintiennent en vie et que nous avons laissé des instructions pour donner le droit à une personne choisie de décider de notre fin si cela se révélait nécessaire. Dans ce cas, notre médecin s'occupera de la question du timing à l'instant où il estimera que nous devons être branché à un respirateur artificiel – et, par conséquent, débranché. Mais il s'agit d'un cas particulier, tout comme celui où l'on souffrirait horriblement sans qu'aucun médicament, ni le temps, ne puisse nous soulager. Il n'est pas difficile de décider d'en finir avec cette douleur de la seule façon possible, plutôt que de continuer à souffrir pour le reste de sa vie. En Hollande, le pays de mon épouse, une souffrance insupportable et incurable est une raison suffisante pour demander et se voir accorder le suicide assisté.

Cependant, que faire si nous sommes toujours capables de respirer et que nous ne souffrons pas atrocement, mais que notre qualité de vie est proche de zéro ? Il est probable que nous n'ayons pas alors les ressources nécessaires – la raison ou la force – pour en finir avec ce « mal vivre ». Et demander à quelqu'un en amont de prendre la décision pour nous – même en ayant fourni une liste détaillée et précise des différentes situations qui impliqueraient qu'il nous « laisse partir » – se révèle rarement concluant. En fin de compte, nos familles et nos amis n'auront pas, on peut le comprendre, la force de prendre une telle décision. Nous sommes donc seuls avec nos calculs et nos prévisions.

Mon vieil ami Patrick, le grincheux par excellence, a rebaptisé cette période de la vie « l'attente du diagnostic ». Pour lui, ce n'est qu'une question de temps avant que notre médecin nous annonce que notre première maladie gériatrique, et possiblement fatale, est arrivée. Est-il nécessaire de le préciser ? Patrick n'est pas un adepte de la philosophie stoïcienne…

Il a néanmoins raison sur un point : une maladie fatale arrivera bien un jour ; la seule chose impossible à déterminer, c'est *quand*. Enfin, ce n'est pas complètement impossible. Des chercheurs de l'université de Californie ont établi une méthode visant à établir un pronostic gériatrique. On renseigne différents critères personnels – l'âge, le genre, l'indice de masse corporelle, l'histoire médicale du patient, etc. – et abracadabra, voici calculée notre espérance de vie. Il s'agit bien évidemment d'une fourchette, mais elle est statistiquement significative. D'un point de vue médical, cela peut nous aider à déterminer, par exemple, si cela a un sens ou non de refaire une coloscopie ou une mammographie, ou si, selon l'indice calculé, nous allons mourir d'autre chose bien avant que le cancer du colon ou du sein ne nous frappe, et s'il ne vaut donc pas mieux laisser tomber le test et s'épargner du temps, une grande gêne et une dépense inutile.

L'indice d'espérance de vie peut également servir de guide au casse-tête de Mencius et Sénèque : quand prévoir et exécuter notre sortie de scène. Mais pour une raison ou une autre, je n'ai pas encore envie d'effectuer ce calcul...

Dépression d'anticipation

Dans la cour de la maison de retraite, je regarde Iphigenia donner à Spyros son café à la cuiller et je repense à mon ami Patrick. Il n'a pas encore atteint le « grand grand âge ». Sa dépression n'est pas gériatrique, c'est une dépression d'anticipation : il sait ce qui arrive à grands pas, et cela le rend amer et sombre. Il affirme que je suis aussi inauthentique que les « jeunes à jamais », que ma quête de sagesse n'est en fait pas différente de leur activité forcenée : nous sommes, eux et moi, dans le déni de ce qui nous attend, désormais de façon imminente.

Se pourrait-il que Patrick ait mis le doigt sur quelque chose qui m'aurait échappé ? Est-ce qu'une vieillesse grincheuse, comme celle d'Aristote, est la façon la plus honnête de s'en aller ? Le vieux est connu pour être grincheux, c'est presque une tradition ancestrale. On a même fait de lui un personnage comique consacré dans les pièces de théâtre et les films. Il passe sa vie à ronchonner qu'« ils » ne font plus les choses de la même façon, façon qui était bien évidemment la bonne. La plupart des jeunes pensent que le grincheux se comporte ainsi parce qu'il se sait si obsolète qu'il n'est plus d'aucune utilité à la société. Quand on y réfléchit, ça mérite bien un sérieux ronchonnement.

Devenir un vieux grincheux a ses avantages. Juste avant mon départ pour la Grèce, Patrick m'a dit : « Me plaindre d'être vieux est devenu mon passe-temps préféré. C'est même ma nouvelle raison d'être. » Si ça fonctionne pour lui…

Mais pas pour moi. Je suis plus de l'avis de Glaucon, le grand frère de Platon, quand il affirme dans *La République* : « Quelques-uns se plaignent des outrages auxquels l'âge les expose […], et, à ce propos, ils accusent avec véhémence la vieillesse d'être pour eux la cause de tant de maux. Mais à mon avis, Socrate, ils n'allèguent pas la véritable cause, car, si c'était la vieillesse, moi aussi j'en ressentirais les effets, et tous ceux qui sont parvenus à ce point de l'âge. Or, j'ai rencontré des vieillards qui ne l'éprouvent point ainsi[1]. »

Mon esprit existentialiste ne peut s'empêcher de se demander pourquoi la dépression d'anticipation de Patrick n'est pas apparue plus tôt. Pourquoi n'a-t-elle pas défini son comportement depuis le début de sa vie ? Après tout, nous savons depuis longtemps que la fin de vie – surtout si nous vivons longtemps – n'a rien d'agréable. Cela signifie-t-il pour autant que si nous ne sombrons pas dans un profond désespoir à vingt et un ans, c'est que nous sommes en plein déni ? Si l'on considère une vie longue et aboutie, quelle différence peut-il y avoir entre le fait d'avoir encore cinquante ou cinq ans à vivre, si tout mène vers cette issue finale, aussi désolante qu'inévitable ?

L'existentialiste Albert Camus était convaincu que le désespoir était une réponse authentique à l'apparente absence de sens de la vie, sans parler des horreurs et des maladies qui nous attendent au « grand grand âge ». Mais Camus pensait aussi que nous pouvions transcender l'absurdité inhérente à la vie et créer du sens à travers nos propres décisions et interprétations, que cela constituait également une réponse authentique

---

1. *La République*, livre I.

à ce qui nous attendait. En somme, une vieillesse authentique ne se résume pas forcément à
l'ambition haletante des « jeunes à jamais », ni
au désespoir chronique de mon ami Patrick. Elle
peut être une période épanouissante.

Cela dit, je dois concéder un point à la vision
de Patrick. À contempler le regard vide et les
lèvres tremblantes de Spyros, il m'est difficile de
ne pas être envahi moi aussi par une dépression
d'anticipation. Comme Aristote l'a impitoya-
blement souligné, il n'y a rien, absolument rien,
à attendre du « grand grand âge ».

Quant à moi, je suppose que la meilleure
façon de me préserver du désespoir latent de
ce « grand grand âge », c'est de retenir la leçon
que j'ai tirée des stoïciens : se concentrer sur ses
horreurs avant même de l'avoir atteint serait
gaspiller le temps qu'il me reste. Avec si peu de
temps devant moi, je refuse de ressasser ce qui
est assurément hors de ma maîtrise. Je préfère
de loin chercher la meilleure façon de passer ce
temps-là...

Les périls cachés du romantisme

Je redescends le chemin escarpé et rocailleux
qui mène au port, et je me rends compte qu'il est
temps pour moi d'acheter une canne, au moins

pour de telles balades. L'idée me fait sourire. J'ai beau n'avoir jamais été un adepte du shopping, je me réjouis à l'idée d'aller choisir une canne. Une avec un pommeau en forme de caryatide, comme celle de Tasso ? Ou une moins élégante mais plus pratique, avec une simple poignée courbée ?

Face à moi, se trouve l'un de ces minuscules cimetières éparpillés au hasard des collines d'Hydra. Je m'arrête et me demande si ce serait un manque de respect de le traverser pour raccourcir ma route. J'ai toujours trouvé les cimetières grecs étrangement réconfortants, je crois que c'est dû à leur apparence si modeste : un bloc de pierre de la taille du corps, avec une stèle toute simple souvent ornée d'un cadre en verre avec une vieille photo du défunt. À l'autre bout du cimetière, un groupe d'ânes broute des coquelicots. Juste derrière eux, un vieil homme me tourne le dos, assis sur l'une des tombes, et je peux l'entendre parler avec animation. Je suis à peu près sûr qu'il s'agit de Pavlos, l'ânier. Sans doute parle-t-il à un proche disparu. Sa défunte épouse ? Je me demande s'il fait ça régulièrement – passer sa journée en revue avec sa compagne à jamais, comme il le faisait quand elle était encore en vie.

J'entre dans le cimetière aussi discrètement que possible, je regarde devant moi. Je ne veux pas m'imposer. Puis, du coin de l'œil, je distingue le visage de Pavlos. Il est en pleine conversation sur son téléphone portable !

Je ne suis pas seulement déçu, je suis mortifié. Il est arrivé, plus d'une fois dans ma vie, qu'un ami m'accuse d'avoir une vision excessivement romantique des Grecs et de leur mode de vie. Il semblerait que ces amis n'aient pas tout à fait tort à cet instant précis.

Mais attendez… Je comprends soudain que Pavlos discute avec sa petite-fille, à propos de la belle robe que sa tante lui prépare pour Pâques. Pavlos est tout à sa conversation, il arbore un air ravi. Et c'est au beau milieu du cimetière qu'il savoure ce délicieux intermède. Mon romantisme débordant aurait-il voulu me suggérer cette scène qu'il ne l'aurait pas osé, n'est-ce pas ?

« Un peu de sciences éloigne de Dieu, beaucoup y ramène. »

Francis Bacon

Chapitre sept

Le bateau en feu du port de Kamini

LA SPIRITUALITÉ ARRIVE TOUJOURS À L'HEURE

Un incendie illumine la mer, juste derrière le port de Kamini. Des hourras montent depuis le rivage jusqu'à mon balcon. C'est le soir de la Pâque grecque et l'on brûle, comme le veut la tradition, un mannequin représentant Judas perché sur un radeau.

Les flammes qui se reflètent sur les ondulations des eaux sombres créent une ambiance spectaculaire : excitante, festive, mais avec quelque chose de bouleversant dans les cris graves de la foule, comme le cri sourd de la vengeance du peuple, qui hurlerait « Brûle, encore, brûle ! ». Rien de tout cela ne me semble fondamentalement sacré.

Dans son pavé *Dieu n'est pas grand : comment la religion empoisonne tout*, le défunt observateur politique Christopher Hitchens catalogue les différentes façons dont la religion organisée nous corrompt, faisant des humains une immense populace vindicative. Il écrit : « À Belfast, Beyrouth, Bombay, Belgrade, Bethléem comme à Bagdad… je me sentirais immédiatement menacé si je pensais que le groupe d'hommes qui m'approche à la nuit tombante était d'observance religieuse. »

Je ne me sens absolument pas menacé par les noceurs de la baie de Kamini. Néanmoins, je pense passer mon tour pour cette célébration grecque. Comme Hitchens, je pense que la religion organisée « doit en avoir gros sur la conscience ».

Mais tout cela ne m'empêche pas d'avoir envie de donner une dimension spirituelle à ma vie, bien que je ne sache pas encore ce que cela signifie exactement.

Les vieux et le fantasme de Dieu

Les personnes âgées se tournent souvent vers Dieu. La plupart de nos contemporains, imprégnés de psychologie, soutiennent que les vieilles personnes entendent la mort frapper à leur porte et que, pour se défendre, elles redoublent d'efforts pour se concocter un Dieu et une vie après la mort.

Dans son essai précurseur, *L'Avenir d'une illusion*, Sigmund Freud rejette catégoriquement l'idée que la religion ne soit que le simple produit de nos désirs. Il affirme que l'objectif principal de la religion est de contrôler la société et d'imposer une morale en promettant une récompense à ceux qui se comportent de façon éthique sur terre, « une fois la vie finie », s'assurant ainsi que ces derniers se conduisent bien jusqu'à la fin de leur vie. Sa thèse se tient. De nos jours, des théoriciens de l'évolution et des généticiens donnent une dimension tout à fait fascinante à cette hypothèse, en spéculant sur l'existence d'un « gène religieux » qui s'exprimerait dans l'instinct de survie d'un groupe. Des tribus seraient mortes sans ce gène, parce que, en l'absence d'un code moral digne de ce nom, ses membres auraient fini par s'entretuer. De toute évidence, Christopher Hitchens aurait sans doute une objection à ce que l'on considère la religion comme un critère de survie.

L'hypothèse de Freud est la suivante : puisque des idées aussi transcendantales que celles de Dieu et d'une douce vie après la mort n'existent qu'à cause de nos *impressions*, elles n'ont probablement aucun sens. D'un point de vue strictement logique et empirique, comme le chante Sportin' Life, le dealer de *Porgy & Bess*, à propos de ce qu'avance la Bible, cette hypothèse « n'est pas forcément vraie ». Par exemple, nos impressions pourraient, elles seules, nous pousser à croire que l'étranger coiffé d'un Fedora assis en face de nous dans le train est un tueur en série, mais il peut s'avérer que ce type *soit* en réalité un tueur en série. Le fait que nous soyons parvenus à cette conclusion de façon irrationnelle n'a aucune influence sur sa véracité en tant que telle.

Il faut ajouter à l'interprétation psychologique de pourquoi nous nous créons un Dieu les nouveaux athéistes d'aujourd'hui, notamment les philosophes Sam Harris et Richard Dawkins. Ces derniers soulignent que la majorité d'entre nous adhèrent à une pensée scientifique, logico-empirique dans 99 pour cent de ce que nous faisons, mais que, dès qu'il s'agit de Dieu et de la religion, nous plongeons dans un univers irrationnel qui n'a rien d'empirique. Nous choisissons entre ces deux façons de penser selon nos besoins : notre esprit scientifique conduit la voiture, tandis que nous faisons appel à notre esprit irrationnel et non empirique lorsqu'il faut prier pour notre salut.

Sam Harris formule ce phénomène d'une curieuse manière : « Si je vous disais que je croyais avoir un diamant de la taille d'un réfrigérateur enterré dans mon jardin, et que vous me demandiez pourquoi j'en suis convaincu et que je vous répondais que cette croyance donne du sens à ma vie, ou qu'elle apporte une grande joie à ma famille, que nous creusons à la recherche de ce diamant tous les dimanches et que nous avons un immense trou au milieu de notre pelouse... vous me prendriez pour un cinglé. Vous ne pouvez pas croire qu'il y ait réellement un diamant dans votre jardin simplement parce que cela donne un sens à votre vie. Même si c'est possible, c'est un aveuglement que je ne souhaite à personne. »

En un sens, cette idée est similaire à celle du « Sois fidèle à toi-même » : soit nous croyons que la science détermine ce qui est réel ou non, soit nous ne le croyons pas. Piocher dans l'un et l'autre au gré de nos envies est simplement un moyen de préserver nos illusions – de ne pas être fidèle à nous-mêmes.

Nous, les vieux, ne ferions donc que préserver nos illusions en nous tournant vers Dieu ? Suis-je délibérément infidèle à moi-même pour la simple raison que « dans mon dos, j'entends sans cesse, le char ailé du Temps qui presse[1] » ?

---

1. « *But in my back I always hear Time's winged chariot hurrying near* », dans *To His Coy Mistress* (vers 1650), poème d'Andrew Marvell traduit de l'anglais par Louis Lanoix.

La ponctualité de la spiritualité

Les hindous ne pensent certainement pas que nous ne sommes pas fidèles à nous-mêmes. Au contraire, ils affirment que nous, les vieux, sommes enfin prêts à nous frotter à une véritable spiritualité.

Cette religion et philosophie ancestrale de l'Asie du Sud-Est est née durant l'âge du fer, puis a connu une vague de « modernisation » au IIe siècle avant Jésus-Christ. Comme toutes les philosophies durables qui se confrontent à la question de savoir comment vivre, l'hindouisme distingue des rôles différents à chaque stade de la vie. Il en compte quatre : le *brahmacarya* (l'éducation), le *grihastha* (l'homme au foyer), le *vanasprastha* (la retraite loin de la vie matérielle et de la famille) et le *samnyâsa* (le renoncement). Ces différents stades représentent respectivement des périodes de préparation, de production, de service et de contemplation spirituelle. Certains textes hindous suggèrent que le dernier stade commence à la soixante-douzième année de la vie. Forcément, cela me parle.

En fait, je trouve à la fois déroutant et captivant que la religion elle-même, à ce stade final, se trouve en tête de la liste des choses auxquelles un vieil homme doit renoncer. La cérémonie qui inaugure la période du *samnyâsa* implique de brûler des copies du texte sacré des hindous, le Vedas, comme rejet symbolique des toutes les croyances et pratiques religieuses acquises par le *sannyasin* (le renonçant) au cours des stades précédents de sa vie. Adieu ! Le vieux *sannyasin* est désormais vraiment seul. En méditant, il doit trouver lui-même son éveil spirituel. Par conséquent, s'il veut avoir une religion, il devra la réinventer.

Comparé à la vie du renonçant, vivre dans le Jardin d'Épicure était une promenade de santé. Les *sannyasins* sont des ermites errants, sans foyer ni biens matériels. Ils mangent seulement quand on leur donne de la nourriture. Le quatrième stade de l'hindouisme fait cependant écho à l'idée épicurienne d'une vie complètement libre. Quand il décrit l'existence du *sannyasin*, le *Dharmashastra*[1] affirme que « les biens que recherche le *sannyasin* sont de ceux que les hommes ne peuvent pas lui donner, il n'a donc que faire de ce que les hommes lui prennent... Par conséquent, il est immunisé contre la séduction et contre la menace ». Et dans un autre chapitre, il affirme : « Les affaires, la famille, la vie séculaire, les beautés et les espoirs de la jeunesse et le succès de la maturité font désormais

---

1. Livre des lois hindoues.

partie du passé. Seule demeure l'Éternité. Et c'est vers elle – et non vers les devoirs et les inquiétudes de la vie, qui a déjà passé et qui est venue et repartie comme un rêve – que l'esprit se tourne désormais. »

Je suis familier avec ce sentiment que ma vie « qui a déjà passé » est « venue et repartie comme un rêve ». J'ai trop souvent l'impression qu'elle a filé en un clin d'œil. Et j'ai moi aussi cette impression que décrit si bien le *Dharma-shastra* en assurant que « seule demeure l'Éternité ». Je suis au dernier stade conscient de la vie, et mon esprit est de plus en plus tourné vers la quête de ce que les hindous appellent « la vraie sagesse du Cosmos ».

Les hindous me rappellent que la psychologie n'est pas la seule façon d'expliquer notre attirance pour les questions de spiritualité en vieillissant. Le vieux renonçant ne cherche pas l'éveil spirituel parce qu'il croit à un système de récompenses et de punitions dans la vie après la mort, ni même parce qu'il a peur de la mort. Il a dit adieu à toutes ces inquiétudes et ces angoisses. Et surtout, maintenant qu'il en a fini avec les affaires de la vie et ses liens matériels, il est temps pour lui de se concentrer sur la question spirituelle ultime.

La quête de spiritualité du vieil homme

Jusqu'ici, la religion n'a pas joué un grand rôle dans ma vie. Le fait que le *sannyasin* commence lui aussi avec une ardoise vide ne me rassure pas plus que ça. Il a beau avoir rejeté toute l'éducation religieuse de sa jeunesse, je le soupçonne de commencer ce voyage avec un sens plus aigu de ce qu'est l'éveil spirituel que le mien.

Quoi qu'il en soit, mon aspiration à une sorte d'éveil spirituel, aussi floue soit-elle, est évidente. En effet, je soupçonne que, pour la plupart d'entre nous, elle a toujours été là – *quelque part*. C'est peut-être une autre preuve de mon affaissement intellectuel, mais je me dis que même l'athée le plus enragé a, au fond de lui, un besoin secret de transcendance : il ne parvient simplement pas à lui donner une réalité crédible. Quant à moi, j'ai pris l'habitude d'ignorer mes désirs de spiritualité, comme s'ils n'étaient rien d'autre qu'une manie agaçante. Je suis comme l'homme qui, quand Baba Ram Dass lui a enjoint d'« être dans le présent, maintenant », a répondu : « Ça marche… j'ai bien l'intention d'être dans le présent maintenant d'un jour à l'autre. »

Mais j'entends encore une fois la voix de la vieillesse me presser : « Si ce n'est pas maintenant, alors quand ? ».

Les questions fondamentales qui se trouvent à l'origine de mon désir de spiritualité sont faciles à identifier ; mais il est compliqué de leur donner un sens… Ai-je un quelconque lien avec le reste du monde ? Avec le cosmos ? Sommes-nous tous deux – le cosmos et moi – ensemble dans cette affaire ? Et dans ce cas, quel en est l'impact sur la façon dont je suis censé vivre le reste de ma vie ?

Difficile de faire plus vague que ces questions ! Pourtant il est presque impossible de concevoir des questions plus essentielles. Après mon round avec la « question inépuisable » d'Heidegger l'autre jour, je me sens mieux armé pour combattre la position des nouveaux athées qui affirment que je ne serais pas fidèle à moi-même si je ne faisais même qu'envisager l'idée d'une vie spirituelle. Je ne crois pas chercher un *truc*, comme le diamant imaginaire de la taille d'un réfrigérateur évoqué par Sam Harris. Je ne m'attends pas à entrevoir le visage de Dieu ou la porte du paradis. Je suis à la recherche d'une idée du sublime, d'un lien existentiel avec l'univers. C'est encore le philosophe William James qui me redonne espoir dans ma quête : non, je ne cherche pas *quelque chose*, je cherche une *expérience* spirituelle.

Je reprends donc *Les Variétés de l'expérience religieuse* de James, un autre de mes vieux livres préférés que j'ai emportés sur l'île. L'exemplaire posé sur mon bureau à Hydra n'est autre que celui que j'ai acheté dans une librairie d'Harvard Square il y a plus de cinquante ans. Mes notes d'étudiant appliqué dans la marge sont toujours là. Un passage que j'avais souligné à l'époque correspond tout à fait à la question du jour : « Nous passons de la conscience ordinaire à un état mystique, et ainsi du moins au plus, du minuscule à l'immense, mais aussi de l'agitation au repos. L'état mystique est une union, une réconciliation. Il éveille l'envie du oui qui nous habite plus que celle du non. L'état mystique atteint, l'infini absorbe toute limite, pour créer un tout harmonieux. »

Oui, c'est bien la secousse de mon « envie du oui » que je recherche. Et si j'ai une expérience de ce genre, je partirai de là. Si Harris m'informe que l'expérience n'était rien d'autre que la réalisation d'un vœu pieu, je le prendrai en considération. Mais je me réserve le droit de ne pas en tenir compter et d'embrasser mon oui.

En ce qui me concerne, je ne pense pas pouvoir chercher l'Éternité, comme le fait le *sannyasin*, en me concentrant de toutes mes forces sur le cosmos. Si je suis honnête avec moi-même, je ne suis pas prêt à abandonner ma vie d'« homme au foyer », surtout la partie où je suis censé renoncer à ma maison. Je sais, c'est sûrement ce genre d'attachements bourgeois qui m'empêche de transcender le monde matériel ; mais si mon attachement à ma maison et à mon foyer signifie que je ne suis pas vraiment à la recherche de l'éveil spirituel, eh bien je ferai avec. Et puis je doute de trouver l'éveil de la façon dont j'imagine que le fait le *sannyasin*, simplement en se concentrant. Je ne saurais même pas par où commencer.

Plus important encore, je ne crois pas qu'aller à la synagogue ou à l'église me sera d'une grande utilité non plus, ça ne l'a jamais été jusqu'ici. Et, contrairement à William James et à Aldous Huxley, mes expériences avec la drogue ont à peine réussi à me conduire jusqu'à la salle d'attente du nirvana, jamais aux portes de la perception.

Alors, que va bien pouvoir faire le vieil homme que je suis avec sa dernière chance d'éveil spirituel ?

Je repense à la théorie de Platon, affirmant que le jeu a quelque chose de divin. Et, avec une précision incroyable, cette nuit où j'ai vu cinq vieux Grecs danser avec exaltation pour célébrer la vie me revient à l'esprit. C'était comme entrevoir la transcendance. Cette exaltation de la vie est pour moi une religion à laquelle je pourrais enfin croire. Mais ce genre d'aperçus ne se produit que trop rarement.

Mon ami Henry a quatre-vingt-dix ans. Professeur à la retraite, il est veuf depuis l'année dernière. Il m'a appelé l'autre jour pour me parler d'un problème qui l'affectait : bien que son cerveau fonctionne toujours correctement et que son corps se maintienne plutôt bien, il envisage d'emménager dans une maison de retraite afin d'avoir de la compagnie. Le problème, a-t-il dit, c'est sa musique. Il écoute de la musique classique jusqu'à quatre heures par jour, souvent très fort, et il ne veut pas que quiconque lui demande de baisser le volume, ni de porter des écouteurs parce que, selon lui, ils dénaturent le son.

Je n'ai pas pu m'empêcher de rire. Je sais combien la musique est importante pour Henry, surtout à cette période de sa vie, et je suis convaincu que sacrifier ne serait-ce qu'une minute de son temps d'écoute, même pour une conversation plaisante, est pour lui inenvisageable.

Henry insiste sur le fait qu'il n'est pas attiré par la spiritualité. Il affirme que la religion n'est qu'une supercherie. Pourtant, quand nous allons ensemble à un concert symphonique – au programme duquel figure généralement une œuvre de Mahler – et que je l'observe, je vois souvent sur son visage ridé une expression de pure extase. Dans de tels moments, Henry se trouve dans un autre monde, supérieur à celui-ci. Son esprit s'envole. Il ne fait alors aucun doute que Henry n'est plus sur terre et que c'est dans ces moments-là que sa vie prend tout son sens.

J'écoute moi-même de plus en plus de musique. Durant ma vie, la musique m'a plus ému que n'importe quelle autre forme d'art, et désormais, à mon grand âge, j'en écoute presque tous les soirs, généralement seul, plusieurs heures d'affilée. Allongé sur le canapé, dans le noir, à écouter la *Neuvième Symphonie* de Mahler, le *Requiem* de Fauré ou le « *E lucevan le stelle* » de la *Tosca* de Puccini, il m'arrive moi aussi de m'élever jusqu'à un monde où je m'abandonne et où la distance qui me sépare du reste de l'univers disparaît. Je suis perdu dans les étoiles. Tout comme Henry, j'hésite à nommer cela une expérience spirituelle, mais parfois cela y ressemble terriblement. Les yeux fermés, le souffle apaisé, à écouter la mélancolie exquise de la *romanza* de Cavaradossi à Tosca sous les étoiles, tandis qu'il attend son exécution en hurlant « Je n'ai jamais autant aimé la vie ! », il m'arrive – parfois seulement – d'avoir l'impression d'enfin satisfaire mon désir de sublime.

Et que dire de ces instants trop rares où un coup d'œil au ciel ou à une feuille d'arbre dansant dans le vent me tire de ma conscience routinière et m'envoie flotter dans une sorte de royaume transcendantal ? Cela suffit-il à répondre à mon désir spirituel de vieil homme ? Et y a-t-il un moyen d'inclure cela plus souvent à mon quotidien ?

Je suppose que je sais seulement *m'ouvrir* à l'éveil spirituel, y être entièrement prêt dans mon esprit et dans mon cœur. Le bouddhisme zen enseigne la pleine conscience comme chemin vers l'éveil. La pleine conscience a plusieurs significations, dont certaines sont considérées comme inexplicables ; mais, fondamentalement, elle se réfère à un état de conscience totale, une conscience claire et continue de l'instant présent. Une personne en pleine conscience est entièrement impliquée dans son action du moment, que ce soit marcher, réfléchir ou simplement respirer. Et elle veille constamment à ne pas glisser dans le quotidien, c'est-à-dire à ne pas perdre sa pleine conscience et à ne pas s'y perdre non plus. À mon âge avancé, enfin libéré de mon syndrome chronique dominant – le scepticisme instinctif –, j'en suis peut-être enfin capable.

Un de mes poèmes préférés de William Blake, « Augures d'innocence », commence ainsi :

« Voir le monde en un grain de sable,
Un ciel en une fleur des champs,

Retenir l'infini dans la paume des mains
Et l'éternité dans une heure. »

J'aurais sans doute plus de chance de trouver une réponse à mon désir de cette façon, en étant présent maintenant – *pleinement* présent maintenant.

Le caractère sacré des choses ordinaires

L'odeur forte de l'agneau grillé envahit mon balcon. *Pasha*, le mot grec pour Pâques, vient de l'hébreu *Pessa'h*, qui se réfère à l'agneau sacrifié durant le premier festin de Pessah célébrant l'exode des juifs hors d'Égypte. La pâque grecque et Pessah sont aussi liés par la date à laquelle ils tombent chaque année : ces dates sont toutes deux déterminées en fonction du calendrier lunaire. On mange toujours de l'agneau à la pâque grecque.

Ce soir, je dîne chez Tasso et Sophia. L'autre jour, alors qu'il quittait la taverne de Dimitri et ses amis, il s'est arrêté à ma table et m'a demandé si j'avais des projets pour le dîner de Pâques. Quand je lui ai répondu que non, il a insisté pour que je me joigne à sa famille pour le repas.

Avant de frapper à la porte du jardin de Tasso, je répète mon salut, « *Kalo Pasha !* » (« Joyeuses

Pâques ! »). En tant que juif, même non pratiquant, je suis plus à l'aise avec cette formule qu'avec l'autre salut grec de Pâques, « *Christos anesti !* » (« Le Christ est ressuscité ! »). J'arrange le bouquet de glaïeuls sauvages que j'ai cueillis lors de ma promenade matinale. Je frappe et Tasso ouvre la porte.

« *Kalo Pasha !* »

« *Kalo Pessah !* », répond Tasso en me prenant dans ses bras.

Ai-je bien entendu ? Tasso m'a-t-il dit : « Joyeux Pessah ? »

Oui, en effet. C'est l'étincelle dans ses yeux qui me le confirme. Et le fait que, quand son adorable épouse aux cheveux blancs, Sophia, apparaît derrière lui et que je lui tends mes fleurs, elle dise à son tour : « *Kalo Pessah !* » Il est évident qu'elle aussi a répété son salut.

À cet instant, je réalise la profonde affection qu'il y a dans cette invitation à dîner. Je suis certain que Tasso a eu conscience de ma gêne concernant cette tradition de brûler bruyamment Judas dans la baie. À vrai dire, je suis certain qu'il a plus conscience que moi-même de ma sensibilité à ce sujet : elle ne vient pas de mon antipathie générale, comme celle de Christopher Hitchens pour l'influence corruptrice de la religion organisée, mais du fait que je sais – et que Tasso le sait aussi – que la haine de Judas, le traître, a souvent des relents d'antisémitisme. Tasso est vraiment un homme incroyable, plein de compassion. *Christos anesti*, en effet !

Le fils de Tasso et Sophia, Kosmas, ainsi que sa femme et leur fils adolescent, sont là eux aussi, venus d'Athènes pour la fête. Tout comme Tasso et Sophia, ils sont chaleureux, accueillants et pleins de vie.

L'épaule d'agneau rôtit sur un tournebroche au-dessus d'un feu en plein air, au milieu du jardin de Tasso. Après tout, il n'est que neuf heures du soir, bien trop tôt pour servir le plat principal d'un dîner grec par une douce soirée de printemps. On commence par l'ouzo et les mezze, une série de plats qui semble sans fin de poulpes grillés, fromages rôtis, saucisses épicées avec un zeste d'orange, des olives, des feuilles de vignes farcies, une salade de concombre au yaourt, etc. Le cuisinier de chaque plat passe fièrement sa spécialité d'un convive à l'autre, en annonçant sa touche personnelle : pour le fils de Kosmas, Nikolaos, c'est la feuille de menthe qu'il a écrasée dans son caviar d'aubergines.

On lève son verre plusieurs fois : à Niko, pour avoir réussi son examen de fin d'études ; à la femme de Kosmas, Despina, pour avoir vu son poème publié dans un magazine d'Athènes ; à Cybele, le chien de Sophia et Tasso, pour avoir survécu à un hiver supplémentaire. Cybele est le nom de la déesse de la Nature de l'Antiquité, et ce sera la seule vague référence théologique de la soirée. Ni Jésus ni sa résurrection ne sont mentionnés, ni d'ailleurs Moïse et la division des eaux de la mer Rouge.

Aux yeux de chrétiens fervents, la scène du jardin de Tasso symboliserait la corruption de leur religion. Pâques a perdu tout son sens ici. Ils remplacent la Résurrection divine de ce jour béni par une célébration profane. Même si je n'avais pas été invité, je suis à peu près sûr que le dîner chez Tasso n'aurait pas compté le moindre témoignage ou rite religieux.

Mais, assis là, sous un citronnier en fleur, parmi ces gens vivants et bons, je suis absolument convaincu que le jardin de Tasso est animé par quelque chose de fondamentalement sacré. Je le vois dans les regards chaleureux qui s'échangent autour du feu. Je l'entends dans les moqueries affectueuses de Kosmas sur la manie qu'a son père de fourrer ses noyaux d'olives dans la poche de sa chemise. Je le sens tout autour de moi.

Cette appréciation de tout ce qui m'entoure est en bonne partie due à mon grand âge. En tant que vieil homme, je suis en paix avec cette paix. Je ne désire rien d'autre de ces gens que leur compagnie. Je ne recherche aucune aventure, ni à accomplir quoi que ce soit. En effet, à cet instant, je ne veux rien du cosmos que je n'aie déjà : « voir le monde » dans le grain de sable que constituent leurs visages.

C'est cela que le vieil Épicure devait ressentir autour de sa longue table d'amis dans son Jardin : le caractère sublime de se trouver parmi des gens bons. Ma femme et ma fille me manquent tout à coup plus que jamais depuis que je les ai quittées un mois auparavant. J'aimerais partager ces moments bénis avec elles.

Un conseil de William Blake me revient en mémoire : celui de ne pas s'accrocher à une expérience du sublime mais de plutôt la laisser aller et venir avec grâce. Dans un autre de ses poèmes métaphysiques, un trésor de quatre lignes intitulé « Éternité », il écrit :

« Qui lie à soi-même une joie
Détruit en fait la vie ailée ;
Mais qui embrasse la joie quand elle vole
Vit dans l'aube de l'éternité. »

Je me redresse et lève mon verre. « C'est un grand privilège d'être ici », dis-je. Et j'ajoute en souriant : « À vrai dire, c'est un grand privilège d'être. »

« Prends plus de temps, et moins de place sur terre. »

Thomas Merton

Épilogue

Le retour à la maison

Les limites de la philosophie

Les vallées douces et vertes que je vois désormais par ma fenêtre contrastent avec le paysage rocailleux que j'ai quitté. Je suis chez moi, dans notre petite maison en bois de l'ouest du Massachusetts, assis à mon bureau, mes carnets de notes rapportés d'Hydra devant moi. De l'autre côté du couloir, ma femme, Freke, travaille à un article pour un magazine néerlandais. Snookers, mon chien, somnole à mes pieds.

Les premiers jours qui ont suivi mon retour, je n'ai pratiquement fait que parler avec Freke : nous avions un mois d'histoires à rattraper. Nous avons bavardé gaiement pendant des heures. Coïncidence : pendant mon absence, son éditeur à Amsterdam l'a envoyée en Floride plusieurs jours pour enquêter sur un nouveau phénomène américain : les personnes âgées qui recommencent à travailler pour des raisons financières. Un phénomène forcément intrigant pour les Hollandais : pour eux, la retraite est obligatoire à soixante-cinq ans.

Certains des vieux que Freke a interviewés en Floride ont dit qu'ils se sentaient épuisés d'avoir repris le travail. La plupart d'entre eux avaient accepté des emplois bien moins intéressants que ceux avec lesquels ils avaient fait carrière, et cela les démoralisait. Pourtant, un bon nombre d'entre eux ont reconnu qu'ils auraient pu « s'en sortir » avec leurs retraites... mais cela impliquait un mode de vie et un habitat plus modestes que ce à quoi ils avaient été habitués, et ils s'y refusaient catégoriquement. Je me suis demandé s'il n'aurait pas été utile à ces personnes de mieux écouter les conseils d'Épicure : réduire son train de vie et profiter des plaisirs de leur grand âge.

Pourtant, Freke m'a raconté que la plupart de ces vieillards ont affirmé se sentir revigorés par la reprise du travail : cela faisait du bien d'être à nouveau un membre productif de la société, c'était gratifiant d'être occupé. Une femme lui a même dit avoir l'impression d'être « sortie de l'isolement ».

Au même moment, lors de mon dernier jour à Kamini, Dimitri m'a tendu un article du *Ekathimerini*, un blog d'informations grec : celui-ci expliquait comment nombre de retraités grecs – dont la plupart attendaient toujours que le gouvernement en banqueroute leur verse leurs pensions – avaient quitté Athènes pour retourner vivre dans leur village natal de Crète, où ils étaient devenus fermiers. L'article citait l'un d'eux : « Ici, vous pouvez passer une semaine sans dépenser un seul euro. La ferme vous fournit de quoi manger tous les jours et si vous avez besoin d'un petit plus, comme de l'huile d'olive, vous pouvez l'obtenir d'un autre fermier. » Cet homme et de nombreux autres semblaient enchantés par le virage surprenant qu'avaient pris leurs vies à un âge si avancé. Il est tentant d'affirmer qu'ils ont, de façon inopinée, recréé le Jardin d'Épicure.

Un des problèmes de la pensée philosophique – et de la plupart des disciplines académiques –, c'est qu'elle tend à ranger des idées dans des catégories définitives, et laisse peu de place à la complexité et aux contradictions internes inhérentes à l'expérience de l'être humain ordinaire. Une des contributions les plus importantes d'Aristote à la philosophie et à la science fut ce conseil : « Il est d'un homme cultivé de ne chercher la rigueur pour chaque genre de choses que dans la mesure où la nature du sujet l'admet[1]. » Et l'interrogation « Quelle est la meilleure façon de vivre sa vieillesse ? » est loin d'être une question fermée. À vrai dire, c'est même la question la plus ouverte qui soit.

Peut-être la vision assez dogmatique du bonheur d'Épicure – à savoir, se défaire de « la prison des occupations quotidiennes et des affaires publiques » – ne correspond-elle pas à ce qui rendrait authentiquement heureux nombre d'hommes et de femmes âgés d'aujourd'hui. Pour être fidèle à elle-même, une personne doit décider elle-même de ce qui la rend heureuse. En effet, si je veux être fidèle à moi-même, je dois me demander ce que je pense faire, là, assis à mon bureau, mes notes étalées devant moi, à soixante-treize ans. De toute évidence, je pense avoir encore un travail à accomplir.

Y a-t-il un juste milieu acceptable entre la philosophie du « jeune à jamais » et l'idéal platonico-épicuro-existentialiste d'un vieil homme épanoui et authentique ? Peut-on rapprocher ces deux extrêmes sans les vider de sens, sans risquer de n'obtenir qu'une bouillie de philosophie sur la vieillesse ?

---

1. Dans *Éthique à Nicomaque*.

La question se réduit-elle à quelque chose d'aussi trivial que notre façon d'occuper le temps qu'il nous reste à vivre ? Par exemple, travailler vingt heures par semaine et consacrer le reste de notre temps à essayer d'être le meilleur vieil homme possible ? Mais cette option ne nous forcerait-elle pas inexorablement à reprendre une vie « organisée », limitée par le temps ? Et quand nous l'aurons choisie, même si nous avons prévu des moments pour nous amuser avec nos amis (et notre chien) et contempler notre passé, nous aurons toujours un œil rivé sur l'horloge : ce serait alors renoncer au glorieux « temps vécu » du vieil homme tranquille.

Depuis des heures je relis mes carnets d'Hydra en essayant de déchiffrer mes notes dans la marge de mes livres de philosophie. Ces notes me semblent tour à tour simplistes ou convaincantes, parfois les deux. Je me sens comme Guido dans 8 ½ : « Tout est comme autrefois. Tout est de nouveau confus... et cette confusion, c'est moi ! » Je ne peux m'empêcher de me demander si ma quête d'une philosophie pertinente du grand âge était autre chose que les hurlements à la lune d'un vieux schnock confus.

Mais ma quête avait peut-être quelque chose d'un peu heideggerien. Si maladroite soit-elle, il s'agissait peut-être de « courir le risque de questionner jusqu'au bout, d'épuiser l'inépuisable » de la question de savoir ce qui constitue une vieillesse authentique et épanouissante. Peut-être le simple fait de se poser la question était-il une fin en soi.

Vieillir pleinement conscient

Peut-être la notion bouddhiste de pleine conscience est-elle celle qui nous conduira à la vieillesse la plus paisible et vraie. Peut-être, quoi que nous fassions, devons-nous essayer de rester pleinement conscients du fait d'être vieux. Cette étape est la dernière de notre vie où nous pouvons avoir toute notre conscience ; la durée de cette étape est limitée, elle ne fait que diminuer, et nous avons désormais des opportunités extraordinaires que nous n'avions jamais eues auparavant et que nous n'aurons plus jamais. Peut-être, si nous sommes aussi conscients que possible du stade de vie auquel nous nous trouvons désormais, la meilleure façon de vivre ces années nous apparaîtra-t-elle, non pas parce que nous aurons suivi à la lettre les prescriptions de sages philosophes mais parce que nous aurons été pleinement conscients de leur sagesse.

Le simple fait d'être conscient des diverses formes de la vieillesse que des hommes comme Platon, Épicure, Sénèque, Montaigne, Sartre *et* Erikson ont analysées et louées pour nous nous permet d'opérer de vrais choix sur la façon dont nous voulons vivre cette dernière période. Nous pouvons les essayer pour voir si elles nous conviennent, si elles correspondent à nos valeurs. C'est peut-être cela, vieillir avec philosophie.

Par la fenêtre de mon bureau, je contemple ma femme assise sur un vieux siège en bois dans le jardin. Elle a un manuscrit sur les genoux, mais elle ne le lit pas, elle regarde paresseusement les collines vert pâle. Je laisse mes carnets éparpillés sur mon bureau et sors pour aller m'asseoir à côté d'elle. Je prends conscience qu'une question me trotte dans la tête depuis plusieurs semaines, une question que j'aimerais lui poser, à elle d'abord mais aussi à ma fille et à quelques-uns de mes amis.

– Je crois que j'ai besoin de ta permission pour devenir un vieil homme, lui dis-je.

Elle rit, bien évidemment.

– Ma permission ? Pourquoi ?

Je ris aussi.

– Je ne sais pas. Je pense probablement que tu préférerais que je reste jeune, ou du moins que *j'essaie* de rester jeune.

– Permission accordée, dit-elle en souriant. Et de toute façon, je crois qu'il est déjà trop tard... On dirait bien une question de vieux.

Remerciements

Je suis particulièrement reconnaissant de l'aide précieuse de ma famille, de mes amis et de mes collègues dans l'élaboration de ce manuscrit : ma fille, Samara Klein, qui m'a donné des idées sur la façon d'organiser le tout et que je n'aurais jamais pu trouver tout seul ; mon vieux copain Tom Cathcart, qui a toujours été meilleur élève que moi, qui a souligné les erreurs de mon raisonnement et m'a doucement guidé vers une solution ; et ma femme, Freke Vuijst, qui a grandement amélioré ma syntaxe et ma grammaire, bien que l'anglais ne soit que sa seconde langue.

Comme toujours, Julia Lord, mon agent et amie, a non seulement été de bon conseil mais, et c'est encore plus important à mes yeux, n'a jamais cessé de m'encourager. Mes éditeurs Stephen Morrison et Rebecca Hunt furent des critiques patients et avisés au fil des nombreuses versions de ce manuscrit. Je leur en suis reconnaissant.

J'ai également apprécié l'aide de mon ami Tician Papachristou, un tuteur généreux pour tout ce qui concerne la Grèce, et la compagnie de mon copain Billy Hughes, lors de notre voyage, dont l'œil de photographe m'a aidé à ouvrir moi-même les yeux.

Enfin, je suis profondément reconnaissant envers mes compagnons hydriotes : Tasso, Dimitri et, bien évidemment, Épicure.

Table des matières

Composé par Compo Méca Publishing
64990 Mouguerre

MARQUIS
Québec, Canada

Dépôt légal : juin 2015
ISBN : 978-2-7499-2647-6
LAF : 2063
Imprimé au Canada